日本語
読み書きのたね

澤田幸子・武田みゆき・福家枝里・三輪香織

[著]

スリーエーネットワーク

©2015 by Sawada Sachiko, Takeda Miyuki, Fuke Eri, and Miwa Kaori

All rights reserved. No part of this publication may be reproduced, stored in a retrieval system, or transmitted in any form or by any means, electronic, mechanical, photocopying, recording, or otherwise, without the prior written permission of the Publisher.

Published by 3A Corporation.
Trusty Kojimachi Bldg., 2F, 4, Kojimachi 3-Chome, Chiyoda-ku, Tokyo 102-0083, Japan

ISBN978-4-88319-713-2 C0081

First published 2015
Printed in Japan

はじめに

　地域の日本語教室では、いろいろな国の人が日本語を通して交流を深め、学び合っています。そして、学習者のニーズや日本語能力に合わせて様々な活動が行われています。

　初級レベルの学習者との活動では「話すこと」に重点が置かれることが多いですが、ある程度話せるようになってくると、「読むこと」「書くこと」にも関心が向いてきます。特に「生活者としての外国人」にとって、読み書きの能力は生活を円滑に運営していく上で欠かせません。また、学習者の中にはかなり話せるけれど、読んだり書いたりするのは苦手という人もいます。「何か適当な読む教材がほしい」「書くことをどのようにサポートしたらいいのだろうか」。この『日本語　読み書きのたね』は、学習者、支援者双方のそのような声から生まれた教材です。

　読む目的は情報や知識を得るためや楽しみのためなどいろいろありますが、『日本語　読み書きのたね』はそれに加えて、読むことを通して学習者と支援者が「交流すること」を目的にしています。そのため、このテキストでは、先に出版された『日本語　おしゃべりのたね』（2006年初版、2011年第2版）の登場人物が語り手となって、各ユニットのテーマに関連のある話を生活者の目線で語るというスタイルをとりました。内容は、楽しく読みながら共感したり考えたりできるよう、異文化への驚き、直面する問題、失敗談、ちょっといい話など、身近な話題を取り上げています。

　なお、これらの読み物は、作文のためのモデル文も兼ねています。書くのが難しいと思っている学習者は多いと思いますが、まずは、「真似して書く」ことから始め、書く活動に楽に入っていけるよう工夫しています。

　このテキストの出版にあたっては、次の教室の学習者、ボランティアのみなさんに試用していただき、貴重なご意見をいただきました。

　　あべの日本語読み書き教室
　　茨木市実用日本語学習会
　　河内長野市国際交流協会日本語サロン
　　クレオ大阪西日本語交流サロン
　　大東市日本語ボランティアパステル
　　日本語ボランティアグループマリントークの会
　　（公財）八尾市国際交流センター

　また、スリーエーネットワークの佐野智子さんにはご助言、ご指導をいただき、最後まで辛抱強く付き合っていただきました。皆様に心より感謝いたします。

　このテキストが地域日本語教室の日本語学習支援活動の助けになり、教室に集う様々な人の交流がさらに進むことを願っています。

2015年4月　著者一同

目次

はじめに……………………………………………………………………3
どれを読もうかな？（内容と文型）……………………………………6
このテキストを使ってくださるみなさんへ…………………………12
このテキストに出てくる人たち………………………………………16

- ユニット 1　はじめまして……………………………20
- ユニット 2　いただきまーす…………………………24
- ユニット 3　ちょっと買い物に………………………28
- ユニット 4　ジェスチャーで伝えよう………………32
- ユニット 5　旅行大好き………………………………36
- ユニット 6　ペットと暮らす…………………………40
- ユニット 7　お元気ですか……………………………44
- ユニット 8　春は桜　秋はもみじ……………………48
- ユニット 9　何を食べようかな………………………52
- ユニット 10　日本の生活　高い？安い？……………56
- ユニット 11　みんなのスポーツ………………………60
- ユニット 12　仕事、がんばります……………………64
- ユニット 13　わたしの町は日本一……………………68
- ユニット 14　ケータイ、持った？……………………72
- ユニット 15　結婚いろいろ……………………………76
- ユニット 16　大変だったね……………………………80
- ユニット 17　祭りだ　わっしょい！…………………84
- ユニット 18　楽しく　日本語…………………………88
- ユニット 19　女と男 ― 仕事と役割…………………92
- ユニット 20　ごみを減らそう…………………………96

「しつもん」の答え……………………………………………………100

別冊 1. 新しいことば（英語訳・中国語訳付）
　　　 2. 「ユニット1〜20」の活動の手引き

どれを読もうかな？（内容と文型）

ユニット	読みましょう1	読みましょう2
ユニット1 はじめまして	「天国」という意味です インドネシアのスルガさんが自分の名前の意味を話します。	風呂さん 結婚して珍しい名字に変わった温子さん。どんな名字になったのでしょうか。
ユニット2 いただきまーす	朝ごはん、昼ごはん 忙しい朝、李さんは何を食べるのでしょうか。昼ごはんは？　李さんが日本での食生活を話します。	朝の2時間 朝6時、目覚まし時計が鳴ります。武田さんの朝が始まります。
ユニット3 ちょっと買い物に	ササキベーカリー 張さんのうちの近くにパン屋があります。とても人気があります。どんなパン屋でしょうか。	忍者参上 骨董品の店で忍者の手裏剣が売られていました。忍者が大好きなポールさんはどうするでしょうか。
ユニット4 ジェスチャーで伝えよう	指の運動 張さんが、中国へ旅行に行く北川さんに中国人のジェスチャーについて教えます。	私は臭いですか グレッグさんは、日本に来たばかりのころ、日本人のジェスチャーの意味がわかりませんでしたが、5年たった今では……。
ユニット5 旅行大好き	サンフランシスコ ポールさんが故郷の町の観光地を紹介します。	少年時代へ 北川さんは子どものころ住んでいた町へ行きました。町はどうなっていたでしょうか。
ユニット6 ペットと暮らす	歌うカナリア 王さんは友達の家でカナリアがクラシックを歌うのを聞いてびっくりしました。	チーちゃん 元太さんのお姉さんは犬のチーちゃんをとてもかわいがっています。でも、ちょっと変？

※文型番号は『日本語　おしゃべりのたね』による

読みましょう3	文型	
好きなもの、好きなこと ポールさんが自分の趣味や好きなこと、日本語の勉強について話します。	文型1	～は～という意味です
	文型2	動詞辞書形／動詞ない形ない のが／のは／のも 形容詞 です
どんどん、どんぶり 店でどんぶりを食べたグレッグさん。自分でもどんぶりを作ろうと思いました。	文型3	名詞1 と 名詞2 とどちらが 形容詞 ですか
	文型4	動詞辞書形 ようになりました
赤い靴 ナターシャさんは靴が欲しいのですが、大きいサイズの靴がなかなか見つかりません。	文型5	名詞1 という 名詞2
	文型6	動詞た形 ばかりです
	文型7	動詞／い形容詞 普通形 な形容詞普通形～だ → な 名詞　　普通形～だ → の　　ようです
招き猫 ポールさんは居酒屋でおもしろい猫の人形を見つけます。前足を上げて座っている猫。何か意味があるのでしょうか。	文型8	動詞た形／動詞ない形ない ほうがいいです
	文型9	動詞て形 はいけません
	文型10	動詞て形 あります
清水の舞台 清水の舞台ってどんな舞台？　マリアさんは京都の清水寺へ「舞台」を見に行きます。	文型11	動詞て形／動詞ない形 なくて、～ い形容詞（い）くて、～ な形容詞（な）で、～ 名詞 で、～
	文型12	動詞て形 みます
	文型13	普通形 し、普通形 し、～
ピヨの思い出 武田さんは、子どものとき、お祭りでひよこを買いました。卵を産むのを楽しみに育てていましたが、大きくなってみると……。	文型14	動詞／い形容詞 普通形 な形容詞 普通形 名詞　　～だ → な　　んです
	文型15	動詞て形 しまいます／しまいました

どれを読もうかな？（内容と文型）

ユニット	読みましょう1	読みましょう2
ユニット7 お元気ですか	ストレス、さようなら 日本語がわからないと、ストレスがたまります。パクさんのストレス解消法は何でしょうか。	あなたの代わり 熱があるなら会社を休んだほうがいいと言うマリアさん。それでも会社へ行く日本人の夫。それぞれの思いを話します。
ユニット8 春は桜 秋はもみじ	マスクの春 5年前の春、マリアさんはマスクをしている日本人を見てびっくり。でも、ことしは……。	緑のカーテン イギリスから来たマルテンさんは暑い夏が苦手です。初めての日本の夏をどのように過ごすのでしょうか。
ユニット9 何を食べようかな	おにぎり・パン・カレー マリアさんの食べ物の異文化体験です。食べてびっくり、見てびっくり。	おいしいもの、見つけた 食べ歩きが大好きなパクさん。彼女が見つけたおいしい食べ物とは……。
ユニット10 日本の生活 高い？安い？	美人になりました 李さんは美容院のカット代が高いので、髪をカットするのをあきらめます。髪の長い李さんの写真を見たお母さんは何と言ったでしょうか。	たまごとたばこ 武田さんは毎朝、スーパーのチラシを見て、何が安いかチェック。きょうは隣の駅の前の新しいスーパーへ安い卵を買いに行きました。
ユニット11 みんなの スポーツ	野球ファン 北川さんは野球が大好きです。きょうもテレビの前で好きなチームを応援しています。	週末サッカー 日本に来たばかりのアントニオさん。誘われて、町のサッカーチームに入ることになりました。
ユニット12 仕事、 がんばります	子どものときの夢 三輪さんの子どものときの夢はマンガ家でした。三輪さんはマンガ家になれたでしょうか。	ピカピカ 張さんはアルバイト先でトイレ掃除をさせられます。初めのころはとても嫌でしたが……。
ユニット13 わたしの町は 日本一	広島の田舎 ナターシャさんは学生時代に広島でホームステイしました。そこは山や川のある田舎でした。	雪国でがんばります！ インドネシア出身のデシーさんは新潟の病院で働いています。初めて経験する雪国での生活は大変ですが……。
ユニット14 ケータイ、 持った？	ツイッター ポールさんはツイッターを始めました。ポールさんのツイッターの利用法は？	スマホはどこ？ 中村さんは、よくスマホをなくします。ある日出張から帰ったら、スマホがありません。大変！

読みましょう3	文型	
ちょっと健康法 北川さんが健康のためにしていること、体に悪いとわかっているけどやめられないことを話します。	文型8	動詞た形／動詞ない形ない ほうがいいです
	文型16	動詞辞書形／動詞ない形ない ようにします／ようにしています
春のナムル キムさんは日本に住んで15年になります。故郷、韓国のソウルの春を懐かしく思い出します。	文型17	動詞辞書形／ない形ない と、～
	文型18	普通形 そうです
たこ焼きパーティー 張さんは友達の家でたこ焼きを作りました。たこ焼きはうまくできたのでしょうか。	文型19	名詞1 のような 名詞2
	文型20	名詞 にします
お金がなくても ホワンさんはお金がなくても日本の生活を楽しんでいます。その方法とは？	文型21	動詞辞書形／名詞の ために、～ 動詞辞書形／名詞の ための 名詞
	文型22	動詞辞書形の／名詞に ～
	文型23	動詞意向形 と思います／思っています
サムライになりたい！ グレッグさんは、サムライになりたくて日本に来ました。サムライになるために、毎日がんばって剣道の練習をしていますが……。	文型12	動詞て形 みます
	文型24	動詞て形 います
	文型25	命令形
新米日本語教師 田中さんは一生懸命勉強して日本語教師になりました。田中さんが教師になったばかりのころの失敗談です。	文型26	名詞1 は 名詞2 に 使役受身動詞
	文型27	（名詞1 は 名詞2 が）可能動詞
高雄がいちばん 台湾の高雄出身の黄さんの故郷自慢は「夜市と昼寝」です。	文型28	名詞1 は 名詞2 が 形容詞 です
	文型29	動詞辞書形／動詞て形いる／動詞た形 ところです
	文型30	動詞ます形 やすいです
うれしいメール 森田さんがもらったうれしいメール。いつ、だれから、どんなメールをもらったのでしょうか。	文型13	普通形 し、普通形 し、～
	文型15	動詞て形 しまいます／しまいました

ユニット	読みましょう1	読みましょう2
ユニット15 結婚いろいろ	初恋 北川幸子さんの初恋の話。初恋はいつ？相手はどんな人？	遠距離恋愛 転勤すれば恋人と離れてしまう……。一度、遠距離恋愛に失敗したことがある佐々木さんは、転勤するかどうか迷っています。
ユニット16 大変だったね	地震だ！ 大学の講義中に地震がありました。すぐに机の下に入ったポールさんですが……。	消えたテレビ 引っ越しのときに、アパートの外に運び出したテレビやこたつが、なくなってしまいました。どこへ行ったのでしょう。
ユニット17 祭りだ わっしょい！	フローレス・デ・マヨ （5月の花祭り） フィリピンでは5月にフローレス・デ・マヨというお祭りがあります。子どもたちが楽しみにしている「パロセボ」とはどんなイベントでしょうか。	さくらまつり アントニオさんのサッカーチームは、町のお祭りで店を出すことになりました。アントニオさんもがんばって手伝います。
ユニット18 楽しく日本語	カラオケで日本語 張さんはカラオケが大好きです。カラオケで歌いながら日本語を勉強しています。張さんがカラオケ勉強法を話します。	マンガで日本語 マンガを読んで日本語のことばや言い方を覚えます。その中にはちょっと変な日本語も？
ユニット19 女と男 ―仕事と役割	掃除は夫 マリアさんのうちでは家事分担をどのようにしているでしょうか。	彼女の引っ越し グレッグさんは彼女の家に引っ越しの手伝いに行きました。引っ越し会社のスタッフが女性だったのでびっくりします。
ユニット20 ごみを 減らそう	もったいない ナターシャさんが「もったいない」と思った経験を話します。	530運動 張さんは地域の「530運動」に参加します。「530運動」というのは何でしょうか。

読みましょう3	文型	
ご結婚、おめでとうございます 木村さんは友人のタンさんの結婚式でお祝いのスピーチをしました。	文型31	動詞辞書形／ない形 ことになりました
	文型32	動詞1 ない形 ないで、動詞2
買い物の帰りに ガチャーン！ 自転車事故で、田中さんはけがをしてしまいました。相手は若い男の人でした。それから……。	文型33	名詞1 は 名詞2 に 持ち物／体の一部 を 受身動詞
	文型34	動詞／い形容詞／な形容詞　普通形 名詞　〜だ → な　　ので、〜
天神祭の思い出 天神祭は大阪のお祭りです。田中さんは、浴衣を着て天神祭に行きました。そこで会ったのは……。田中さんのお祭りの思い出です。	文型12	動詞て形 みます
	文型36	動詞て形 おきます
	文型37	動詞／い形容詞／な形容詞　普通形 名詞　〜だ　　かどうか
おしゃべりで日本語 王さんはボランティア教室で、いつも楽しくおしゃべりしながら日本語の勉強をしています。先週は旅行の話でしたが……。	文型16	動詞辞書形／動詞ない形ない ようにします／ようにしています
	文型38	動詞／い形容詞／な形容詞　普通形 名詞　〜だ → な　　のに、〜
おさむ先生 3歳の息子を保育園に預けて仕事を始めた中島さん。最初の日に迎えてくれたのは男性の保育士さんでした。	文型34	動詞／い形容詞／な形容詞　普通形 名詞　〜だ → な　　ので、〜
	文型39	動詞て形 ほしいです
赤いチューリップのお弁当箱 北川さんが幼稚園のときに買ってもらった赤いお弁当箱。思い出といっしょにお弁当箱は母から娘へ、そして孫へと渡されます。	文型16	動詞辞書形／動詞ない形ない ようにします／ようにしています
	文型40	動詞（自動詞）て形 います

このテキストを使ってくださるみなさんへ

ちょっと長いですが、必ず読んでください。

【こんなテキストですー特徴・対象者・構成】

■ どんなテキストですか。

　地域の日本語教室で学ぶ外国人学習者（以下、学習者）がそのパートナーである日本語ボランティア（以下、ボランティア）の手助けを得ながら、読む力、書く力をつけるためのテキストです。

　読み物は、日本で暮らす生活者の目線で、身近で興味の持てる話題を取り上げており、楽しく読むことができます。

　また、書く活動は、テキストの読み物をなぞって、あるいは参考にして書くようになっています。読み物に作文のための「モデル文」の役割を持たせることによって、一から作文を書く難しさを軽減し、学習者が容易に作文に取り組めるようにしました。

　このテキストは『日本語　おしゃべりのたね』（2006年初版、2011年第2版）の姉妹編として作成したもので、各ユニットのテーマが共通しています。『日本語　おしゃべりのたね』と合わせて使えば、同じテーマで「話す・聞く・読む・書く」という総合的な活動ができ、より、日本語の力を伸ばすことができるでしょう。

　また、『日本語　おしゃべりのたね』の登場人物が、読み物の語り手としてこのテキストにも登場します。語り手を明示することによって、「だれの話か」がわかり、親近感を持って読むことができます。

■ このテキストはどのくらいのレベルの学習者を対象としていますか。

　地域の日本語教室には、かなり話せるけれど読んだり書いたりするのは苦手という学習者もいますので、一概に初級とか中級などとは言えませんが、一つの目安として言うなら、おおよそ初級後半レベル、あるいは初級を終えたぐらいから使うことができます。

　語彙、文法は『みんなの日本語初級Ⅰ、Ⅱ第2版』（以下、『みんな初級』）を一応の基準とし、『みんな初級』に出てこない語彙は新しいことばとして、訳（英語、中国語）

を付けました。また、文型もおおよそ『みんな初級』の範囲内としました。ただし、文脈から類推できる、あるいは内容の理解に大きな妨げにならないと思われる表現は、文章の自然さを優先し、『みんな初級』の範囲外でも使っています。

■ 1つのユニットの構成はどうなっていますか。

読みましょう1	300字～450字程度の比較的短い文章	＊字数は目安です
書きましょう1	「読みましょう1」を真似して短い作文を書く。	
↓		
読みましょう2	400字～550字程度の文章	
↓		
読みましょう3	400字～650字程度の比較的長い文章	
書きましょう2	「読みましょう3」の内容や構成を参考にして「自分のこと」を書く。	

　3つの「読みましょう」のうち1つは普通体で書かれています。学習者は生活の中で普通体の文章に接することも多く、それに慣れてもらうためです。
　「読みましょう」のあとには内容が理解できたかどうかを確認するための質問が用意されています。

【こんなふうに使ってください―活動の進め方】

■ ユニット1から順番にやっていくんですか。

　どのユニットから始めてもかまいません。**どれを読もうかな？（内容と文型）**（6ページ）に読み物の内容が簡単に紹介されていますので、何を読もうか選ぶとき、どんな内容か知りたいときに、参考にしてください。

■ 1つのユニットはどのように進めていけばいいんですか。

　活動のまえに、「ユニット1～20」の活動の手引き（別冊）をぜひ読んでおいてください。
　また、1ユニットの活動時間は決まっていません。学習者の読む力に合わせて、十分時間をかけてください。

＜「読みましょう1，2，3」の進め方＞

　本文を読むまえに、活動の手引きの「読むまえに」を参考にして、学習者の持っている背景知識を引き出したり、理解に必要な新たな知識を与えたりしておきます。
　以下のように、異なる読み方で2回読みます。

① 1回目の読み

　内容を大まかにつかむために速読します。まず質問を読み、何を読み取ればいいかを頭に入れてから、読んでもいいでしょう。ことばの意味がわからなくても、一つ一つ訳を見たり、訳を書き込んだりせず、意味を類推しながら読み進めるようにしましょう。時間を決めて読む練習をするのもいいでしょう。

　読み終わったら、口頭で しつもん に答えてもらいます。テキストの巻末に答えが載せてありますが、これはその通りに答えなければならないということではありません。内容が正しく理解できていればOKです。もし、正しく答えられなかったら、ボランティアが、文中から答えが見つけられるよう該当部分を示して、そこをもう一度読むように言ってみてください。

② 2回目の読み

　2回目はボランティアといっしょに細かい部分まで丁寧に読んでいきます。活動の手引きの「読むときのヒント」に、読みを深めるために学習者にどんな質問や働きかけをすればいいか書いてあります。学習者に場面や語り手の気持ちを想像してもらったり、ボランティアと学習者、また、学習者同士で意見や感想を話したりして、文章には書かれていない「行間の意味」まで読み取れるといいでしょう。

<「書きましょう1」の進め方>

　「読みましょう1」の文章を参考にしながら、下線部に学習者が書いていきます。ボランティアは必要に応じて手助けはしますが、できるだけ学習者に自分の力で書けることを書いてもらいましょう。テキストには文章の一部が書いてありますが、書きたい内容と合わなければ変えてもかまいません。

<「書きましょう2」の進め方>

　教室の活動では、書く準備—何について書くか（話題）、各段落にどんなことを書くかを決めるところ—までを行います。

　「読みましょう3」の番号は文章の中のまとまりを示したものです。「書きましょう2」の番号に対応しています。ボランティアは、いろいろ質問したり、ヒントを与えたりして書く内容を掘り起こしましょう。学習者は「書きましょう2」の空欄に、作文で書く内容を箇条書きでメモしておきます。作文を書くのは自宅学習とします。

　作文を自宅学習とするのは、地域の日本語教室では活動時間に制限があるという理由以上に、学習者に教室外（自宅）での自律的な学習の習慣を身につけてもらいたいと考えるからです。無理強いはせずに、しかし学習者を励まして、書くことの楽しさを知ってもらいましょう。

　書いた作文は教室で発表したり、学習者同士で読み合ったりしてもいいでしょう。

【学習者に自律的に学んでもらう】

■ 学習者が自分で勉強するために、どんなアドバイスをすればいいですか。

<語彙を学ぶ>

　別冊の語彙訳には英語と中国語の訳が載せてありますが、英語、中国語以外の言語については、ボランティアや友達に教えてもらう、自分で調べるなどして、学習者自身が書き込むようになっています。できればことばの意味はあらかじめ調べておく（予習する）よう学習者に言いましょう。教室での活動がよりスムーズに進みます。

［覚えたいことば］

　読み物の中に出てきたことばや作文に使ったことばで学習者自身が覚えようと思ったことばを書いておく欄です。学習者に使い方を説明してください。

<文型を学ぶ>

　文章を読みながら文型も学習したいという学習者のために、各ユニットにそのユニットの学習目標となる文型を配置し、「読みましょう1〜3」の文章中に太字で示してあります。学習目標の文型を文章中に繰り返し出すことで、文脈から意味や使い方が自然に習得できるようにしました。取り上げた文型は**どれを読もうかな？（内容と文型）**に示してありますが、これは『日本語　おしゃべりのたね』と共通しています。

<登場人物と学ぶーこのテキストに出てくる人たち>

　「読みましょう」を読んだあと、文章の内容から、その語り手がどんな人か、出来事やエピソードを16ページの**このテキストに出てくる人たち**に書き込むよう学習者に勧めてください。学習が進んで書き込みが多くなってくると、だんだんその人の人物像が浮かび上がってきて、より登場人物に親しみがわくと思います。このテキストの「ポールさん」や「マリアさん」をみなさんの日本語教室の一員に加えていただければうれしいです。

このテキストに出てくる人たち

読んだら、プロフィールを書き込みましょう

登場人物	プロフィール・エピソード	ユニット
ポール (アメリカ)	大学生 例) ホラー映画・アニメが好き　食べ歩きが好き	1 3 4 5 14 16 18
武田ゆみ子 (日本)	主婦　日本語ボランティア	2 6 10
グレッグ (カナダ)	中学の教師	2 4 11 19
張 世林 (中国)	レストランでアルバイト	3 4 9 12 18 20

登場人物	プロフィール・エピソード	ユニット
ナターシャ （ロシア）	会社員 例）足に合う靴が買いたい。	3 13 20
北川 健 （日本）	会社員　日本語ボランティア	5 7 11
田中えり （日本）	日本語教師	12 16 17
森本マリア （ブラジル）	主婦	5 7 8 9 19
ホワン （フィリピン）	自動車工場で働いている	10 17

このテキストに出てくる人たち

ユニット1〜20

ユニット1 はじめまして

読みましょう1

「天国」という意味です

 スルガ

　私はスルガ・ディアン・ノフィタと言います。スルガはインドネシア語で「天国」という意味です。ディアンはインドネシアの昔のことばで、「ちょうちん」という意味です。そして、ノフィタは私の名前です。両親は「ノフィ」と呼びます。ですから、私の名前は「天国へ行くときのノフィタのちょうちん」という意味です。とてもいい名前だと思います。天国へ行くとき、ちょうちんがあれば、明るいです。道に迷いません。私はこの名前が大好きです。

　ボランティアの北川さんは私の名前を聞いて、「『スルガ』は日本にもありますよ。駿河湾という海です。静岡の近くにあります。」と言いました。私はとてもうれしくなりました。いつか「スルガの海」へ行ってみたいです。

しつもん
① スルガさんの名前はどういう意味ですか。
② スルガさんはなぜ自分の名前はとてもいい名前だと思っていますか。
③ 日本にある「スルガ」は何ですか。

書きましょう1　あなたの名前について書きましょう。

私は＿＿＿＿＿＿＿＿＿と言います。＿＿＿＿＿＿＿＿は＿＿＿＿＿＿＿

＿＿＿＿＿＿＿＿＿＿＿＿＿＿＿＿＿＿＿＿＿＿＿＿＿＿という意味です。

（どうしていい名前だと思いますか）
とてもいい名前だと思います。＿＿＿＿＿＿＿＿＿＿＿＿＿＿＿＿＿＿＿

＿＿＿＿＿＿＿＿＿＿＿＿＿＿＿＿＿＿＿＿＿＿＿＿＿＿＿＿＿＿＿＿＿

**読みましょう2**

風呂さん

風呂温子

　私の旧姓は「高橋」で、「高橋」は日本で3番目に多い名字だ。中学1年のとき、クラスに「高橋」が3人いた。3人の中で私だけ眼鏡をかけていたので、クラスの男子に「高橋メガネ」と呼ばれていた。とても嫌だった。「珍しい名字がいいなあ。」と思っていた。
　大学に入学して、登山部に入った。新しい部員は私ともう1人、男子学生だけだった。 
「初めまして。高橋と申します。よろしくお願いします。」
「初めまして。風呂です。」
「風呂？　風呂さん？」
「はい、風呂隆です。」
4年間、私は風呂君とたくさんの山に登った。
　今、私の名前は風呂温子だ。風呂君と結婚したのだ。私は営業の仕事をしているが、お客さんに名刺を渡すと「珍しい名前ですね。」と言われる。そして、名前の話からスムーズに仕事の話に進むことができる。それに、すぐ名前を覚えてもらえる。でも、はんこ屋のショーケースの中に「風呂」のはんこがない**のが**ちょっと不便だ。そして娘は友達に「お風呂屋さん」と呼ばれる**のが**嫌だと言っている。「お母さん、私、絶対、平凡な名前の人と結婚する！」

しつもん
① 温子さんは「高橋」という名字が好きでしたか。
② 温子さんはどんな名字がいいと思っていましたか。
③ 温子さんは「風呂」という名字についてどう思っていますか。
　・いいところ：＿＿＿＿＿＿＿＿＿＿＿＿＿＿＿＿＿＿＿＿＿＿＿
　・困るところ：＿＿＿＿＿＿＿＿＿＿＿＿＿＿＿＿＿＿＿＿＿＿＿
④ 温子さんの娘は「風呂」という名字をどう思っていますか。

読みましょう3

好きなもの、好きなこと

ポール

❶ 僕の趣味は映画を見ることです。ホラー映画を見る**のが**好きです。でも、ホラー映画を見た日は、夜、一人でトイレに行く**のが**怖いです。アニメ映画も好きです。特に「NARUTO」が大好きで、マンガも全部読みました。

❷  それから、僕のもう一つの楽しみは「食べ歩き」です。日本へ来て、初めてお好み焼きや牛どんを食べました。食べたことがない料理を食べる**のは**おもしろいです。すしはアメリカで食べたことがありますが、日本の「回転ずし」は最高です。僕の記録は25皿です。この間、友達と「焼き肉食べ放題」に行きました。その日は朝から何も食べませんでした。店では食べて、食べて、飲んで、また、食べました。ほんとうにおいしかったです。でも、しばらくは、肉を見たくないです。

❸ 日本語の勉強はあまり好きではありません。特に、漢字は読む**のも**書く**のも**難しいです。でも、日本語でおしゃべりする**のは**楽しいです。日本語教室で、いろいろな国の人と友達になって、いっしょに「食べ歩き」をしたいです。

[しつもん]
① ポールさんの趣味は何ですか。
② ポールさんはどんな映画が好きですか。
③ ポールさんはアメリカで牛どんを食べたことがありますか。
④ ポールさんは日本語でおしゃべりするのが好きですか。

書きましょう2 あなたの趣味や好きなもの、好きなことを友達に紹介してください。

❶ 趣味は何ですか。

▼

❷ あなたの楽しみは何ですか。

▼

❸ 日本語の勉強はどうですか。好きですか。

ユニット2 いただきまーす

読みましょう1

朝ごはん、昼ごはん

李春花（リ チュンファ）

　私の朝ごはんはいつもパンと紅茶です。日本のパンはおいしいです。本当はゆっくり中華粥を食べたいですが、時間がありません。休みの日は時間があるので、おいしい中華粥を作ります。卵や野菜も食べます。

　昼ごはんはいつも会社の食堂で食べます。同僚とおしゃべりしながら食べます。いちばんよく食べるのはうどんです。うどんのつゆのにおいと味が好きです。てんぷらうどんは500円、かけうどんは280円です。お金があるときはてんぷらうどん、ないときはかけうどんを食べます。

　きのうは給料日でした。食堂のおばさんが「きょうはてんぷらね。」と言って、うどんの上に大きいえびのてんぷらを載せてくれました。いいにおい！　七味をかけて、まず、うどん、それからつゆがしみ込んだてんぷらを食べました。「ああ、おなかがいっぱい。」午後もがんばろうと思いました。

とても幸せな昼ごはんでした。

しつもん
① 李さんの朝ごはんはいつも何ですか。休みの日は何を食べますか。
② 李さんはどこでだれと昼ごはんを食べますか。

書きましょう1　あなたの朝ごはん、昼ごはんについて書きましょう。

私の朝ごはんはいつも_____です。
（どうしてですか）

_____

休みの日は_____

昼ごはんは_____で食べます。
（だれと）

_____と_____食べます。いちばんよく食べるのは
　　　　　　　　　　　　　　　　　　（どうしてですか）

_____です。

_____

読みましょう2

朝の2時間

武田ゆみ子

　ピー、ピー、ピー、ピーと時計が鳴った。「6時！　起きなきゃ。」台所へ行って、まず、テレビをつける。そして、みそ汁を作る。それから、高校生と中学生の子どもたちの弁当も作らなければならない。きのうの晩に作っておいた煮物を温めて、肉を焼く。時計を見たら、もう6時半だ。「起きなさい。学校に遅れるよ。」子どもたちを起こす。息子は1回では起きない。「いつまで寝ているの？　もうすぐ7時よ！」やっと起きた息子は5分でごはんを食べて、急いで学校へ行く。娘はまだ鏡の前にいる。「早くごはんを食べなさい。」「時間がなーい。」「少しでもいいから食べなさい。」「はーい。」

　次は夫の朝ごはんだ。「目玉焼き**と**卵焼き**と**どちらがいい？」「どっちでもいい。」「野菜、食べてね。」「……。」夫はテレビを見ながら、黙って食べる。

　「いってきまーす。」娘が出かけたあと、夫も出かけてやっと私のごはん。だいたい8時ぐらいだ。テレビを見ながら、ゆっくり食べる。お弁当や夫のおかずの残りがあるので、豪華なメニューだ。

　ピー、ピー、ピー…　今度は洗濯機が呼んでいる。お皿を洗って、洗濯物を干したら、私の1日が始まる。

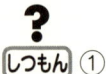 ① 下のa～hを時間の順に並べてください。

(a) → (   ) → (   ) → (   ) → (   ) → (   ) → (   ) → (   )

a 武田さんが起きる。　　b 息子が出かける。
c 夫が出かける。　　　　d 武田さんが食べる。
e 夫が食べる。　　　　　f 息子が食べる。
g 娘が食べる。　　　　　h 娘が出かける。

どんどん、どんぶり

グレッグ

❶

日本へ来たばかりのころは外で食べると高いので、自分で料理をしていました。簡単な料理しか作れないので、朝はシリアル、昼はサンドイッチやハンバーガー、晩はピザやスパゲッティーなどでした。母のようにおいしく作れませんが、私でも作れるし、時間もかかりません。

❷　しばらくがんばって自分で料理をしていましたが、仕事が忙しくなって、だんだん外で食べる**ようになりました**。友達の元太にいろいろな店に連れて行ってもらいました。焼き鳥、ラーメン、どんぶり。特にどんぶりは、親子どん、カツどん、海鮮どん、天どん、牛どんと種類がたくさんあります。ごはんの上に載せるものを変えるだけで違った味になるし、おなかもいっぱいになります。簡単そうなので自分で作ろうと思いました。まず、炊飯器を買いました。初めて作ったものは親子どん。元太といっしょに作りました。写真を撮ってフェイスブックに載せました。さっそく、「いいね！」をたくさんもらいました。難しい日本料理はできませんが、どんぶりだけは自信があります。

❸ 最近は自分でどんぶりのメニューを考える**ようになりました**。先週、タコスの具をごはんに載せて友達に食べてもらいました。みんなおいしい！と言ってくれました。今は忙しくて、なかなかうちで料理ができませんが、週末はできるだけ友達といっしょに料理をするようにしています。

しつもん
① グレッグさんは日本へ来たばかりのころ、どうして自分で料理していましたか。
② グレッグさんはどうして外で食べるようになりましたか。
③ どうしてどんぶりを作ろうと思いましたか。

書きましょう2 日本へ来てから食生活はどう変わりましたか。

❶ 日本へ来たばかりのころ、食事はどうしていましたか。

▼

❷ 来たばかりのころの食生活は、そのあと、変わりましたか。どう変わりましたか。

▼

❸ 最近の食生活でどんなことがありましたか。

ユニット2　いただきまーす　●　27

 ちょっと買い物に

読みましょう1

ササキベーカリー

張世林

　私の家の近くに「ササキベーカリー」**という**パン屋がある。ササキベーカリーはあんパンが有名だ。柔らかいパンの中に甘いあんがたくさん入っていて、とてもおいしい。焼け**たばかり**のあんパンはいいにおいがする。開店前にはいつも人が並んでいて、あんパンはすぐに売れてしまう。きのうも買いに行ったが、店が開い**たばかり**なのに、あんパンはなかった。

　私の故郷では、パンは全部ショーケースに入っていて、店の人に取ってもらうが、この店では欲しいパンを自分で取って、トレイに載せる。もう慣れたが、日本へ来**たばかり**のころはわからなかった。

　6時になると、店の人は売れ残っているパンを5つずつ袋に入れる。そして、安く売る。私はできるだけ6時に買いに行く。

しつもん
① どうしてササキベーカリーは開店前に人が並んでいますか。
② 張さんの故郷のパン屋とどんなところが違いますか。
③ 張さんはどうして6時に買いに行きますか。

書きましょう1 あなたがよく行く店について書きましょう。

＿＿＿＿＿＿に＿＿＿＿＿＿という＿＿＿＿＿＿がある。

(どんな店ですか)

その店は_____

(あなたの故郷との違い)

私の故郷では_____

_____

(どのように利用していますか)

_____

読みましょう2

忍者参上

ポール

　私がアルバイトをしている店の近くに「紅葉堂」**という**骨董品の店があります。その店は日本の古い陶器や家具もありますが、どうやって使うかわからない物もたくさん売っています。いつも店の奥におじいさんが1人座っています。お客さんはあまりいない**ようです**。値段を見るとどれもとても高いので、いつも店の前を通り過ぎていました。

　ある日、店に忍者の手裏剣が置いてありました。少しさびていました。本物かどうか、わかりません。その日から気になって、店の前を通ると、いつも見ていました。その手裏剣も私を待っている**ようでした**。
　給料をもらった日に店のおじいさんに本物かどうか、聞きに行きました。おじいさんは「本物です。珍しい物ですよ。昔の忍者が持っていた物です。」と言いました。私はとてもうれしくなって、すぐに買いました。うちに帰って、ずっとにやにやして見ていました。私の宝物です。
　次の日、店の前を通りました。同じ手裏剣が売られていました。これも本物でしょうか。

① 「紅葉堂」ではどんな物を売っていますか。
② ポールさんは手裏剣を買うまえにこの店に入ったことがありますか。
③ ポールさんはどうしてすぐに買いましたか。

読みましょう3

赤い靴

ナターシャ

❶ 私の足のサイズは28センチです。日本では大きい靴屋へ行っても女性の靴は25センチまでしかありません。いつも男性のスニーカーをはいていますが、かわいい靴もはきたいです。「すてき！」と思っても、私の足は入りません。

❷ ですから、靴はインターネットで買います。ほんとうは店ではいてみてから、買いたいです。インターネットで買うと、サイズが合わなかったり、イメージが違ったりして、時々失敗してしまいます。

❸ この間も、友達の結婚式に着るドレスに合う赤い靴を探していました。ヒールが高くて、サイズが大きい靴はあまりありません。やっとデザインもよくて、セールで安くなっているものを見つけました。すぐ、注文しました。でも、届いた靴はきつくて、入りませんでした。
あきらめられないので、28.5センチの靴をもう一度注文しました。すると、今度の靴はぴったりでした。**買ったばかり**の赤い靴をはいて結婚式に行きました。

結婚式のパーティーで、フィンランド人の友達に会いました。「ナターシャさん、その靴、インターネットで買ったんでしょう？」「あっ……。」友達も同じ靴をはいていました。

［しつもん］
① ナターシャさんが困っていることは何ですか。
② インターネットで靴を買うと、どんな失敗がありますか。
③ ナターシャさんはどんな靴を探していましたか。
④ どうしてもう一度注文しましたか。

書きましょう2　日本へ来てから買い物で困っていることについて書きましょう。

❶ 買い物で困っていることは何ですか。

▼

❷ どうしていますか。

▼

❸ 「困っていること」についてどんな経験がありますか。

ユニット3　ちょっと買い物に　31

ユニット4 ジェスチャーで伝えよう

読みましょう1

指の運動

張世林

きょうは日本語教室の日でした。
　ボランティアの北川さんは来月、中国へ旅行に行くそうです。北川さんに「中国語がわからないから心配です。ジェスチャーで通じるかなあ。張さん、中国のジェスチャーは日本と同じですか。」と聞かれました。それで、中国で気をつけ**たほうがいい**ジェスチャーを教えてあげました。
　中国人は人と話すとき、あまりジェスチャーはしません。だから、大げさなジェスチャーは**しないほうがいいです**。それから、日本人はよく相手の肩をぽんとたたいたりしますが、中国では相手の体にあまり触れ**ないほうがいいです**。また、「あの人」と人さし指で人を指し**てはいけません**。指で数を表す方法も日本と違います。私が教えてあげると、北川さんは「買い物のとき、役に立つね。」と言って、一生懸命練習していました。
　きょうの日本語教室は「日本語の勉強」ではなくて、「指の運動」でした。

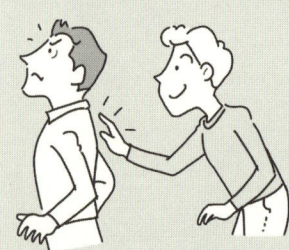

しつもん
① 北川さんはなぜ張さんに中国人のジェスチャーについて聞きましたか。
② 中国で、どんなことをしないほうがいいですか。
③ 中国で、指で人を指してもいいですか。

書きましょう1 あなたの国でしないほうがいいジェスチャーや日本と違うジェスチャーについて書いてください。

（あなたの国）
＿＿＿＿＿＿＿＿＿＿　では ＿＿＿＿＿＿＿＿＿＿＿＿＿＿＿＿＿＿＿＿＿＿＿＿＿＿

_____ほうがいいです。それから、

_____ほうがいいです。

また、_____てはいけません。
(日本と違うジェスチャーについて)

_____

_____

読みましょう2

私は臭いですか

グレッグ

　私は5年前の2月にカナダから福井県へ来ました。冬の福井はとても寒くて、私は来てすぐ、風邪をひいてしまいました。のどがとても痛かったので、薬を飲ん**だほうがいい**と思って、近くの薬屋へ買いに行きました。そのときはまだ日本語がわからなかったので、店の人に、のどを触りながら「のどの薬はありますか。」と英語で聞きました。すると、店の人がa 顔の前で手を振ったんです。私はびっくりしました。カナダではそのジェスチャーは「臭い」の意味だからです。私は臭い？　私は3日ぐらいシャワーを浴びていませんでした。でも、お客さんに「臭い」と言うのは失礼でしょう？　あとで、日本人の友達に、店の人のジェスチャーは「わかりません」とか「違います」という意味だと教えてもらいました。
　先月、カナダから友達が遊びに来ました。朝、写真を見ていた友達が、写真の中の妹を指して聞きました。「Your girlfriend?（これ、恋人？）」私は歯を磨いていたので、歯ブラシが口に入っていました。それで、返事の代わりにb 顔の前で手を振りました。すると、友達は「えっ、何か臭い？　あっ！」と言って、キッチンへ走って行きました。キッチンのガスコンロの上で、目玉焼きが焦げていました。

しつもん

① グレッグさんは何の薬を買いに行きましたか。
② グレッグさんは店の人のジェスチャーを見てどう思いましたか。
③ a、bの「顔の前で手を振る」ジェスチャーはどんな意味でしたか。

	どんな意味でしたか。	どんな意味だと思いましたか。
a	店の人	グレッグさん
b	グレッグさん	友達

読みましょう3

招き猫

 ポール

❶

きのうの晩、駅の近くの居酒屋「大黒屋」へ飲みに行った。大黒屋の壁には料理の名前を書いた紙がたくさん張っ**てある**。棚にはいろいろなお酒の瓶が並べ**てある**。僕はとりのから揚げとお酒を注文した。

店のオヤジさんとおしゃべりしながら飲んでいるとき、冷蔵庫の上に新しい猫の人形が置い**てある**のに気がついた。

❷
「あれ、何ですか？」
「招き猫だよ。ほら、左の前足でこっちへ来い、こっちへ来いと手招きしてるでしょう。」と言いながら、オヤジさんは手のひらを下に向けて振った。
「お客さんがたくさん来るように、置い**てある**んだよ。右の前足を上げている招き猫もあってね、これはお金、来い、お金、来いと、お金を呼ぶ招き猫。」

❸
>「へえ、おもしろいですね。でも、アメリカ人は人を呼ぶときは手の
> ひらを上に向けて、こうするんですよ。」と僕もやって見せた。すると、
> オヤジさんが「じゃ、アメリカの招き猫は手の向きが反対になっている
> のかい?」
> 　残念ながら、アメリカには招き猫はいない。

しつもん
① 大黒屋の壁には何が張ってありますか。棚には何がありますか。
② 大黒屋の招き猫はこっちへ来い、こっちへ来いと、何を手招きしていますか。
③ 人を呼ぶときのジェスチャーは日本とアメリカでどこが違いますか。

書きましょう2　日本人のジェスチャーで意味がわからなかったジェスチャーについて書いてください。

❶ いつ、どこでそのジェスチャーを見ましたか。

▼

❷ ジェスチャーの意味をだれに教えてもらいましたか。どんな意味ですか。

▼

❸ あなたの国も同じジェスチャーをしますか。ジェスチャーは違いますか。

ユニット 5 旅行大好き

読みましょう1

サンフランシスコ

ポール

　私の故郷のサンフランシスコは「ゴールデンゲートブリッジ」が有名です。青い空と赤い橋のコントラストがきれい**で**、たくさんの観光客が来て写真を撮ります。でも、この橋はとても恥ずかしがり屋です。霧に隠れ**て**、見えない日が多いからです。天気がよければ、自転車を借りて、橋を渡っ**てみて**ください。みなさんは飛んでいる鳥を上から見たことがありますか。橋の下を鳥が飛んでいたり、船が通ったりするのが見え**て**、とてもおもしろいです。帰りは船に乗れば、今度は下から橋が見られます。

　有名ではありませんが、私のおすすめは「ランズエンド・トレイル」です。「ゴールデンゲートブリッジ」の西の海岸にある歩道です。歩道には絶壁やビーチもあります。海の風を感じながら、恥ずかしがり屋の橋や、海や、緑の山をぜひ見てください。

　みなさん、ぜひ一度サンフランシスコに行っ**てみて**ください。

しつもん

① ポールさんはどうして橋を渡るといいと言っていますか。
② 「ランズエンド・トレイル」はどこにありますか。
③ 「ランズエンド・トレイル」から何が見えますか。

書きましょう1

あなたの町や国の有名な所について書きましょう。

私の故郷の＿＿＿＿＿＿＿＿＿＿は「＿＿＿＿＿＿＿＿＿＿」が有名です。

(どんな所ですか)

(どんな所ですか)

私のおすすめは「＿＿＿＿＿＿＿＿＿＿」です。

読みましょう２

少年時代へ

北川健

　先月、仕事で山田町の近くへ行った。山田町は私が10歳まで住んでいた町だ。仕事が終わったあと、時間もあった**し**、天気もよかったので、40年ぶりに山田町へ行っ**てみる**ことにした。

　30分ぐらいバスに乗って、山田町で降りた。周りを見**て**、びっくりした。畑がなくなって、家やマンションになっていた。友達とよく行ったお菓子屋は今はコンビニになっていた。道もきれいだ**し**、お店も多い**し**、町はすっかり変わっていた。昔のことを思い出しながら、家族と住んでいた家へ向かった。

　私の家は駐車場になっていた。子どものころは広い家だと思っていたが、今見ると、とても狭かった。祖父が好きだった桜の木はこの辺かな。祖母がごはんを作っていた台所はあの辺かな……。みんな変わってしまった。

　思い出の場所を探しながら、歩いて行くと、小さい川があった。「ここだ。ここだ。」ここでよく魚やおたまじゃくしを捕った。いつも遊んでいた神社は昔と同じだった。でも、すべてのものが私の記憶より小さかった。飛び降りるときすごく怖かった石垣も1メートルほどだ**し**、野球をした広場もすぐに1周できる。元気に遊んでいた子どものころを思い出して、胸がいっぱいになった。

　しばらく、石垣に座っていた。せみの声だけが昔と変わらなかった。

しつもん

① 子どものとき住んでいた町はどうなっていましたか。
　畑→　　　　　　　お菓子屋→　　　　　　　私の家→

② 北川さんはどこへ行きましたか。そこで子どものとき何をして遊びましたか。

どこへ行きましたか。	子どものとき何をしましたか。
小さい川	
	石垣から 広場で

読みましょう3

清水の舞台

マリア

❶ 「清水の舞台から飛び降りる」ということわざを聞いたことがあります。「思い切って大きい決断をする」という意味だそうです。ずっと、どんな舞台か見**て**みたいと思っていました。それで、去年の4月に家族と京都へ行ったときに、清水寺へ行っ**て**みることにしました。

❷ 清水寺まで坂道でした。道の両側には扇子や刀を売っている店や、ちゃわんや皿を売っている店がたくさんありました。それに、私も外国人ですが、着物を着ている外国人がたくさんい**て**、びっくりしました。
　清水寺に着くと、すぐ、舞台に出**てみました**。清水寺の舞台は広かったです。遠くに京都の町が見えました。私たちは舞台のいちばん前まで行きました。
「わあ、高い！」
下を歩いている人が小さく見えました。落ちそうな気がし**て**、とても怖かったです。
「『清水の舞台から飛び降りる』というのはすごい決断をすることなのね。」
と言うと、夫が

（学校の舞台は1m　清水の舞台は？）

「誕生日にあげたセーター、あれも清水の舞台から飛び降りるつもりで買ったんだよ。」と言いました。それで、ちょっと聞いてみました。
「いくらだったの？」
「３千円。」
「それは清水の舞台じゃなくて、うちのテーブルから飛び降りたのね。」と私は言いました。

❸ 帰りに抹茶のアイスクリームを食べました。お土産に漬物を買いました。清水の舞台も見たし、ことわざの意味もよくわかったし、おいしいものも食べたし、とても楽しい旅行でした。

しつもん
① マリアさんは京都へ行ったとき、どうして清水寺へ行きましたか。
② 坂道の両側の店は何を売っていましたか。
③ 清水の舞台から何が見えましたか。

書きましょう2 旅行の思い出を書きましょう。

❶ いつ、だれと、どこへ行きましたか。
どうしてそこへ行こうと思いましたか。

❷ 何をしましたか。どんな思い出がありますか。

❸ 旅行はどうでしたか。

ユニット6 ペットと暮らす

読みましょう1

歌うカナリア

王丹丹（オウタンタン）

　私は今、カナリアを飼ってみたいと思っています。友達の田中さんが飼っているんです。
　先週、田中さんの家に行ったとき、黄色の鳥がいました。
「あ、田中さん、鳥を飼ってるんですか。」
「ええ、カナリアよ。うちのカナリア、とても歌が上手なんですよ。」
「へえ、そうですか。聞いてみたいです！」「いいですよ。」
　田中さんがクラシックのCDをかけると、カナリアが突然、歌い始めました。びっくりしました。とてもきれいな声でした。私はカナリアとピアノの演奏にうっとりしました。
「うちのカナリアはクラシック音楽を聞くと、必ずいっしょに歌うんですよ。でも、ロック音楽は嫌いで、ロックを聞いても歌わないんです。」と田中さんが言いました。
「へえ、おもしろいですね。」私はまたびっくりしました。私はカナリアがとても欲しくなりました。私は歌が好きなので、カナリアを飼ったら、ぜひ、いっしょに歌ってみたいです。

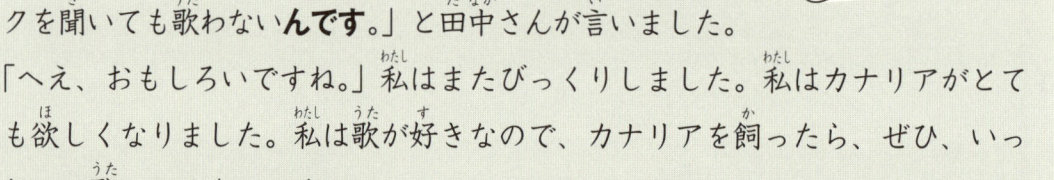

しつもん

① 王さんは、どうしてびっくりしましたか。
② 田中さんのカナリアはどんな音楽が好きですか。
　どんな音楽が嫌いですか。
③ それはどうしてわかりますか。

書きましょう1 飼ってみたいペットについて書きましょう。

私は今、_____を飼ってみたいと思っています。
(どうして飼ってみたいと思いましたか)

_____ 私は、_____

(ペットの楽しみ方)

がとても欲しくなりました。_____を飼ったら、_____

_____たいです。

読みましょう2

チーちゃん

野村元太

　ピンポーン。「こんにちはー。元太です。」「どうぞー。」「ワンワンワン。」
姉のうちに行くと、いつもチーちゃんがドアまで迎えに来てくれる。チーちゃんは姉が飼っているチワワだ。姉はこのチーちゃんをとてもかわいがっている。
　チーちゃんはピンクのTシャツを着ていた。僕はちょっとびっくりした。
「aかわいいでしょう？」「bうん、まあ……。」
「これも買ったのよ。」姉はピンクのセーターを見せた。
「cそれ、必要なの？」「散歩のとき寒いから。」
　動物は服を着ないのに。チーちゃんはうれしいのかな。値段を聞いたら、1万円だった。え？　僕のセーターより高い！　驚いた。
「ちょっと着てみましょうね。」姉がセーターを見せると、チーちゃんは逃げ**て
しまった**。
「チーちゃん、待って！」姉が追いかけた。すると、チーちゃんは走って、座っている姉の夫のうしろに隠れ**てしまった**。
「じゃあ、チーちゃん、僕と散歩に行こうか。」
　姉の夫はチーちゃんを抱っこした。え？　抱っこして散歩するの？　僕は、また驚いた。

？ しつもん ① 元太さんは3回びっくりしましたが、何にびっくりしましたか。
- チーちゃんがピンクのTシャツを_____こと
- チーちゃんのセーターが_____こと
- チーちゃんを抱っこして_____こと

② a、b、cのことばはだれが言いましたか。
　　a　　　　　　　b　　　　　　　c

読みましょう3

ピヨの思い出

武田ゆみ子

❶ 私は、ひよこを飼ったことがあります。6歳ぐらいのころでした。
学校の帰り、神社のお祭りで男の人がひよこを売っていました。とてもかわいかったので、私はずっとひよこを見ていました。すると、男の人が「大きくなったら、卵を産むよ。」と言いました。私は毎日ゆで卵が食べられると思いました。ゆで卵が大好きだった**ん**です。私は急いで家に帰って、100円玉を持って、走って神社に戻りました。姉は私が買ってきたひよこを見て、「ばかだね。すぐに死ん**でしまう**よ。」と言いました。ひよこは私の手の中で小さく震えていました。 
私はひよこにピヨと名前をつけました。

❷ それから、私はえさや水をやったり、ピヨの家の掃除をしたり、毎日一生懸命世話をしました。夜は寒いので、お湯を入れた瓶をタオルで包んで、ひよこの近くに置きました。ピヨは元気に大きくなりました。羽も白くなって、いつも私の後を追いかけていました。

❸ ある日ピヨの頭に赤い物が出てきて、だんだん大きくなってきました。「これ、オスじゃない？」と姉が言いました。「絶対違う！」と私は言いました。しかし、ある日の朝、ピヨが突然「コケコッコー」と鳴いた**ん**です。「ほら、言ったとおりでしょ。

コケコッコー

朝早くコケコッコーと鳴くのは、オスなんだよ。」と姉が言いました。ピヨはオスでした。私はとてもがっかりしました。

しつもん
① 武田さんはどんな世話をしましたか。
② なぜピヨがオスだとわかりましたか。
③ 武田さんはピヨがオスだとわかって、なぜがっかりしましたか。

書きましょう2 飼っていたペットについて書きましょう。

❶ どんなペットですか。そのペットをいつ、どこで見つけましたか。どう思いましたか。

▼

❷ どんな世話をしましたか。

▼

❸ どんな思い出がありますか。

ユニット7 お元気ですか

読みましょう1

ストレス、さようなら
パク・ミラン

　私のストレス解消法は日本語教室に行くことです。日本語がよくわからないと、相手が言っていることもわからないし、言いたいことも言えません。それで、ストレスがたまります。町の看板や市役所のお知らせもよくわかりません。薬を買うときも困ります。でも、日本語教室では上手に話せなくても大丈夫です。ボランティアの武田さんやいっしょに勉強しているマリアさんもにこにこ笑って、私の話を聞いてくれます。ですから、間違えてもいいから、たくさん日本語で話す**ようにしています**。何でも話して、聞いて、笑って、日本語も覚えられて、気持ちが明るくなります。

　教室が終わってから、同じ教室の韓国人の友達とまたおしゃべりします。今度は韓国語で話します。毎日の生活や、仕事のこと、韓国ドラマやバーゲンの話など、みんな、話したいことがたくさんあります。たくさんおしゃべりすれば、元気になります。ですから、1週間に1回の日本語教室は必ず行く**ようにしています**。

しつもん
① パクさんのストレス解消法は何ですか。
② パクさんのストレスの原因は何ですか。
③ 次の人と何語で話しますか。
　武田さん：　　　　　マリアさん：　　　　　韓国人の友達：

書きましょう1　あなたのストレス解消法について書きましょう。

　私のストレス解消法は＿＿＿＿＿＿＿＿＿＿＿＿＿＿＿＿＿＿＿です。
（どうしてストレスがたまりますか）

(どうやって解消しますか)

_____

(どうなりますか)

_____

ですから、私は_____ようにしています。

読みましょう2

あなたの代わり
森本健治、マリア

きのうの夜から調子が悪い。今回の出張は大変だったから、疲れが出たのかもしれない。けさ起きたときも、気分が悪くて、せきも出た。熱が38.2度あった。でも出張の報告をしなければならないから、きょうの会議は休めない。
　マスクをして会社へ行った。薬を飲んだので、眠かった。同僚が心配して、「大丈夫？」と言ってくれた。会議のあと、課長が私のところへ来た。
「早く帰って休**んだほうがいい**よ。君の仕事はみんなでやるから。」
「申し訳ありません。」早退してうちへ帰った。

　夫の健治はきのうの夜、体の調子が悪そうだった。けさも元気がなかった。熱は38.2度だった。せきも出るし、気分も悪そうだった。朝ごはんは要らないと言って、会社へ行く準備をしていた。
「えっ、会社へ行くの？　インフルエンザかもしれないから、病院へ行っ**たほうがいい**よ。」と言ったが、「出張の報告をしなければならないんだよ。代わりの人はいないんだ。」「休**んだほうがいい**のに。」「薬を飲んだから、大丈夫だよ。」と言って会社へ行った。
　心配していたら、お昼に夫が帰って来た。帰って来たときはまだ熱が高くて、苦しそうだった。でも、私が作ったスープを飲んで寝たら、熱が下がったので、安心した。けんかをしても、遅く帰って来てもいいから、元気な健治がいい。私にとって健治の代わりはいないから。

しつもん ① 健治さんの体の調子はどう変わりましたか。

きのうの夜	体の調子が悪かった。
けさ	
会社から帰って来たとき	
寝たあと	

② 熱があるのにどうして健治さんは会社へ行きましたか。
③ マリアさんは健治さんが会社へ行ったほうがいいと思いましたか。

読みましょう3

ちょっと健康法
北川健

❶ 今月58歳になりました。健康に注意しなければならないと思っています。でも、仕事が忙しくて、運動する時間がありません。妻に誘われてスポーツクラブに行ったことがありますが、1回だけ行って、やめてしまいました。

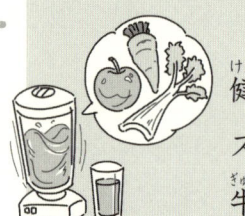

❷ スポーツクラブは続きませんでしたが、今、続けている健康法を2つ紹介します。1つ目は週末の朝、野菜ジュースを飲むことです。ミキサーに野菜や果物を入れて作ります。牛乳やヨーグルトを入れてもおいしいです。私はにんじんとりんごとセロリのジュースがいちばん好きです。にんじんを1本食べるのは大変ですが、ジュースにすれば簡単に食べられます。野菜は必ず2種類以上入れる**ようにしています**。妻もダイエットや美容にいいと言って、喜んで飲んでいます。

2つ目は竹を踏むことです。竹を40センチぐらいに切って、縦に半分に割ったものを踏みます。私は歯を磨きながら踏む**ようにしています**。「イチ、ニ、イチ、ニ。」と足踏みをすると、3分ぐらいで足が温かくなります。だれでもできるし、時間もかかりません。

❸ 体に悪いとわかっていますが、やめられないことがあります。それはお酒を飲むことです。誘われると断れません。医者はやめ**たほうがいい**と言いますが、お酒がない生活は考えられません。それにラーメンも好きだし、ポテトチップスも大好き。肝臓に悪い？ わかっています。カロリーが高い？ わかっています。でも、やめられません。

しつもん ① 正しいものに〇、間違っているものに×をつけてください。
　　a（　　）北川さんは奥さんといっしょにスポーツクラブへ行っている。
　　b（　　）北川さんの奥さんも野菜ジュースを飲んでいる。
　　c（　　）北川さんはお酒が好きだ。
② 竹を踏むときに使う道具は次のどれですか。

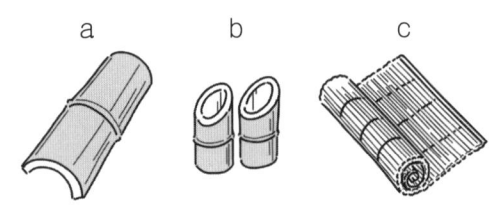

　　　　　　　　　　a　　　　　b　　　　　c

書きましょう2 あなたの健康法について書きましょう。

❶ 今までやったけれど、途中でやめてしまった健康法がありますか。

▼

❷ 今やっている健康法は何ですか。

▼

❸ 健康に悪いとわかっているけれどやめられないことがありますか。

ユニット8 春は桜　秋はもみじ

読みましょう1

マスクの春
マリア

　初めて日本に来たのは5年前の春です。そのときは、町中に桜やいろいろな花が咲いていて、とてもきれいでした。暖かいし、きれいだし、私は日本の春が大好きになりました。でも、1つびっくりしたことがあります。町を歩いている人がみんなマスクをしていたのです。「日本人は春になると、医者や看護師になるのかな。」と笑ってしまいました。

　でも、ことしの2月、急にくしゃみと鼻水が止まらなくなって、病院に行きました。すると、花粉症だと言われました。日本人の友達が「マスクをしたらいいよ。」と教えてくれたので、初めてマスクを買いました。マスクをすると、息が苦しいですが、くしゃみと鼻水は少しよくなりました。みんながマスクをする理由がやっとわかりました。

　ことしの春、私はずっとマスクをしていました。5年前はおかしくて笑ってしまったのに……。日本の季節の中でいちばん好きだった春。ことしは「春は早く終わってほしいな。」と思いました。ブラジル人の友達に「マリアも日本人になったね。」と笑われました。

しつもん

① マリアさんは5年前の春、どうしてびっくりしましたか。
② ことしの春、マリアさんはどうしてマスクをしていましたか。
③ 「マリアも日本人になったね。」と友達が言ったのはどうしてですか。
　a　日本の生活に慣れたから。
　b　春がいちばん好きになったから。
　c　マスクをするようになったから。

書きましょう1　日本の季節について書きましょう。

初めて日本に来たのは_____前の_____です。

(そのときの季節はどうでしたか)

そのときは_____

(今、その季節をどう過ごしていますか)

ことしの_____、_____

(今、その季節についてどう思っていますか)

日本の_____は_____と思います。

読みましょう2

緑のカーテン

マルテン

　まだ7月の初めなのに、蒸し暑い日が続いている。私は去年の秋に日本へ来た。日本の夏は初めてだ。インドネシア人の友達に聞くと、日本の夏はインドネシアより暑い**そうだ**。でも、エアコンをつける**と**、電気代がすごく高くなる**そうだ**。我慢しよう。でも、エアコンをつけない**と**、夜も暑くて眠れない。ああ、もう、イギリスに帰りたい。

　この間、とても暑い日にボランティアの武田さんのうちへ遊びに行った。部屋に入ると、エアコンはついていないのに、暑くなかった。部屋の中では扇風機がついていた。そして、ベランダでは朝顔を育てていた。緑のカーテンを作っていたのだ。「工夫すれば、エアコンをつけなくても、涼しく生活できますよ。」と武田さんが言った。そういえば、私のアパートでもゴーヤを育てている人やすだれをつるしている人がいる。

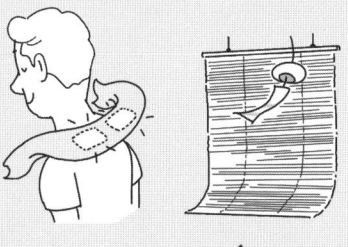

　私も扇風機を買って、窓にすだれをつるしてみた。そして保冷剤を入れたタオルを首に巻く**と**、ああ、気持ちがいい。冷蔵庫で冷やしたすいかを食べたら最高だ。来年の夏は私も朝顔を育ててみようかな。いや、ゴーヤにしよう。ゴーヤは食べたことがないが、おいしい**そうだ**。

しつもん
① どうしてマルテンさんはイギリスに帰りたいと思いましたか。
② マルテンさんはエアコンをつけますか。どうしてですか。
③ 次の人は、暑い夏、どんな工夫をしていますか。
　・武田さん： _____
　・アパートの人： _____
　・マルテンさん： _____
④ 来年の夏、マルテンさんはどうしようと思っていますか。

読みましょう3

春のナムル

キム・スンファ

❶ 私は韓国のソウルで生まれました。韓国にも日本と同じように春・夏・秋・冬の4つの季節がありますが、私は春の初め、3月がいちばん好きです。

❷ ソウルでは3月になると、やっと雪が解けて春が来ます。野原や山では雪の中からいろいろな山菜が芽を出します。韓国では春の山菜を「春のナムル」といいます。ヨモギ、ノビル、セリなど、いろいろあって、おかゆや汁に入れて食べます。市場に「春のナムル」が並べられると、韓国の人は「春が来たなあ。」と思います。

❸ 昔、女の子は春になると、おばあさんやお母さんと山菜を摘みに行きました。私も子どものころ、よく祖母といっしょに雪が残っている野原に出かけました。「これがノビル、これがヨモギ。」と、祖母に教えられて山菜を摘むと、いいにおいがしました。「このヨモギでお餅を作ってね。」と、祖母によく頼みました。私は祖母が作るお餅が大好きでした。日本に住んで15年。祖母のお餅はもう食べられません。でも3月になると、祖母と行ったソウルの春の野原を思い出します。とても懐かしいです。

セリ　ノビル　ヨモギ

しつもん
① キムさんは何月がいちばん好きですか。
② 3月になると、ソウルの野原や山ではどのようなものが見られますか。
③ 韓国の人はどんなときに「春が来たなあ。」と思いますか。
④ キムさんは子どものころ、春になると何をしましたか。

書きましょう2　あなたの国の季節について書いてください。

❶ いちばん好きな季節はいつですか。

❷ その季節について。景色、すること、食べ物など。

❸ どんな思い出がありますか。

ユニット8　春は桜　秋はもみじ

ユニット9 何を食べようかな

読みましょう1

おにぎり・パン・カレー

マリア

初めて買った日本の食べ物はコンビニの「おにぎり」です。ブラジルにはおにぎり**のような**食べ物はありません。コンビニの棚にはいろいろなおにぎりが並んでいましたが、そのときは、どんな食べ物か、わかりませんでした。周りの人が買っていたので、1つ買ってみました。それは黒いもので巻いてありました。一口食べてみると、ごはんの味でした。もう一口食べました。とても酸っぱくて、びっくりしました。中に梅干しが入っていたのです。

パン屋で見てびっくりしたのは「焼きそばパン」です。パンの間に髪の毛**のような**麺が挟んであって、初めて見たときは変な食べ物だと思いました。でも、友達が好きだと言うので、私も買って食べてみると、意外においしかったです。1つ食べると、おなかがいっぱいになりました。

いちばん好きな料理はカレーです。カレーはインドの料理だと思っていましたが、売っているルウを使って作るカレーは日本の料理だそうです。カレーは辛くておいしいので、家族みんなが好きです。

きょうの晩ごはんはカレー**にしよう**と思います。

しつもん
① マリアさんは初めて「おにぎり」を食べたとき、なぜびっくりしましたか。
② マリアさんは「焼きそばパン」を見て、どう思いましたか。
③ 日本ではカレーをどうやって作りますか。

書きましょう1　日本の食べ物について書きましょう。

初めて買った日本の食べ物は_____です。
(どんな食べ物ですか)

_____

　　　　　　　　　　　　　　(どうしてですか)

びっくりした食べ物は_____です。_____

_____

好きな料理は_____です。_____ので、好きです。

読みましょう2

おいしいもの、見つけた
パク・ミラン

　私の趣味は食べ歩きです。韓国から東京に来た次の日に日本橋の店で「うな重」を食べました。「うな重」は焼いたうなぎが白いごはんの上に載せてあります。いいにおいがして、柔らかいです。甘いしょうゆのたれがごはんにしみて、本当においしかったです。

　北海道に行ったとき、海の近くの食堂に入りました。メニューを見たら全部おいしそうでしたが、「海鮮どん」**にしました**。とれたばかりの甘いえびやいか、サーモン、赤い宝石**のような**イクラがどんぶりからこぼれ落ちそうでした。おいしくて、忘れられない味です。

　京都では「抹茶ソフトクリーム」を食べました。食べるまえは、苦い抹茶と甘いソフトクリームは合うのかなと思いましたが、食べてみると、甘さがちょうどよくて、「日本の味」がしました。今は「抹茶」がついている食べ物を見ると、すぐ買ってしまいます。

　でも、私がいちばん好きなのは大阪のお好み焼きです。私はいつも600円の「いか玉」**にします**。冷たいビールと熱いお好み焼き、最高です！　ほかにも食べたいものはいろいろあります。一度でいいから神戸牛のステーキを食べてみた

いし、高いおすし屋さんに行っていろいろ注文してみたいです。でも、気をつけなければなりません。日本に来てから体重が増えました。財布はとても軽くなりました。

しつもん
① パクさんはどこで何を食べましたか。
② いいにおいがした食べ物は何ですか。
③ パクさんは神戸牛のステーキを食べましたか。
④ 下の絵は何ですか。（　）にa～dを書いてください。

（　）　　　（　）　　　（　）　　　（　）

a　お好み焼き　　b　うな重　　c　抹茶ソフトクリーム　　d　海鮮どん

読みましょう3

たこ焼きパーティー

張世林

❶ 私は大阪に住んでいる。大阪はたこ焼きが有名だ。この間、元太さんに「うちでたこ焼きパーティーをするから来ない？」と誘われた。「え、たこ焼きを作るの？」「そうだよ。大阪の人なら、だれでもたこ焼きを作れるよ。」「へえ、おもしろそうだね。」私は初めてたこ焼きを作った。

❷ 材料はたこ、ねぎ、しょうが、ソース、かつおぶし、それから、たこ焼きの粉だ。まず、たことねぎを小さく切る。粉を水で溶いて、たねを作る。次に、たこ焼き器を十分に熱くして油を丸い穴に入れる。それから、穴にたねを入れる。そして、たことしょうがとねぎを入れる。しばらくしてから、竹ぐしでひっくり返す。焼けたら、ソースとかつおぶしをかけて食べる。

❸ いちばん難しかったのは竹ぐしでひっくり返すこと。元太さんは丸いピンポン玉**のような**たこ焼きが作れるのに、私はうまくできなかった。「元太さんのたこ焼き、ピンポン玉みたいだね。」「張さんのは踏まれたピンポン玉だね。」みんなが笑った。「でも、味はどっちも同じだよ。」と私は言った。熱いたこ焼きをみんなで食べた。すごく楽しかった。私もたこ焼き器を買って、友達を家に呼びたいと思った。

しつもん
① 張さんはどこでたこ焼きを作りましたか。
② たこ焼きを作るのは何が難しかったですか。
③ たこ焼きの作り方の順番を書いてください。
　　（　　）→（　　）→（　　）→（　　）→

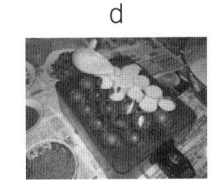

a　　　　　b　　　　　c　　　　　d

書きましょう2　あなたが作った料理について書いてください。

❶ どんな料理ですか。いつ作りましたか。

❷ 材料・作り方

❸ 作ったときの様子と感想

ユニット10 日本の生活　高い？安い？

読みましょう1

美人になりました
李春花（リ チュンファ）

日本は物価が高いです。例えば、牛乳は中国では1リットル100円ぐらいです。タクシー代は日本の5分の1ぐらいです。でも、私がいちばんびっくりしたのは美容院のカット代です。

私は短い髪が好きなので、国では1か月に1回、髪を切っていました。母は「男の子みたい。」と言いましたが、私は気にしませんでした。私が好きなアニメの主人公の女の子はみんな髪が短くて、かわいいからです。

日本へ来て2か月ぐらいのとき、少し髪が伸びたので、**切ろうと思いました。**友達にカット代を聞くと、「4千円ぐらいかな。」「えーっ、4千円！」私は髪をカットするのをあきらめました。今、私の髪は肩まで伸びています。

きのう、国の母に写真を送りました。返事が来ました。「きれいになったね。長い髪、とてもいいよ。」

日本へ来て、私は美人になりました。どうして？　カット代が高かったからです。今は髪を**伸ばそうと思っています。**

しつもん
① 李さんが日本でいちばんびっくりしたのは、何ですか。
② 李さんは国にいるとき、髪が長かったですか。
③ 李さんは日本で髪をカットしたことがありますか。
④ 李さんは今、髪を切りたいと思っていますか。

書きましょう1
日本で何か高いと思った経験を書いてください。

日本は物価が高いです。例えば＿＿＿＿＿＿＿＿＿＿は、＿＿＿＿＿＿＿＿＿＿では

_____ぐらいです。　_____は_____ぐらいです。

でも、私(わたし)がいちばんびっくりしたのは_____です。
(それをどこで見(み)ましたか、聞(き)きましたか)

_____

(どうしましたか、どう思(おも)いましたか)

_____

読みましょう2

たまごとたばこ

武田(たけだ)ゆみ子(こ)

　「卵(たまご)が1パック98円(えん)！」折(お)り込(こ)みチラシを見(み)て、私(わたし)は叫(さけ)んだ。近(ちか)くのサクラスーパーでは198円(えん)だから、100円(えん)も安(やす)い！

　朝(あさ)、夫(おっと)が出(で)かけたあと、私(わたし)はまず、スーパーのチラシをチェックする。うちの近(ちか)くには「サクラスーパー」と「ツルカメスーパー」がある。2つのスーパーのチラシを見(み)て、どちらが安(やす)いかチェックしてから、買(か)い物(もの)に行(い)く。夫(おっと)は会社員(かいしゃいん)だが、夫(おっと)の給料(きゅうりょう)で生活(せいかつ)するのは大変(たいへん)だ。家賃(やちん)は7万(まん)3千円(ぜんえん)、2人(ふたり)の子(こ)どもの教育費(きょういくひ)もかかる。子(こ)どもの将来(しょうらい)の**ために**、そして、いつか家(いえ)を建(た)てる**ために**、貯金(ちょきん)もしたい。だから、安(やす)いものを買(か)う**ために**「サクラ」へ行(い)ったり、「ツルカメ」へ行(い)ったりする。

　きょうは隣(となり)の駅(えき)の前(まえ)に新(あたら)しいスーパーがオープンして、卵(たまご)が98円(えん)だった。チラシには「お1人様(ひとりさま)1パック、50パック限(かぎ)り」と書(か)いてあった。急(いそ)いで出(で)かけた。卵売(たまごう)り場(ば)には、もうたくさんの人(ひと)が並(なら)んでいた。卵(たまご)は私(わたし)の次(つぎ)の人(ひと)でなくなった。ラッキーだった。

　晩(ばん)ごはんのあと、夫(おっと)にきょうの話(はなし)をした。夫(おっと)はたばこを吸(す)いながら、言(い)った。

　「往復(おうふく)の電車代(でんしゃだい)は400円(えん)。卵(たまご)が2パック買(か)えるね。」

　「私(わたし)が電車(でんしゃ)で行(い)くと思(おも)う？　自転車(じてんしゃ)よ。ところで、そのたばこ、1つ420円(えん)でしょ？　卵(たまご)が2パック買(か)えるわよ。」

しつもん
① 98円の卵はどこで売っていましたか。
② 武田さんは買い物に行くまえに何をしますか。
③ 武田さんはなぜ貯金したいと思っていますか。
④ 武田さんは卵売り場で並んでいる人の何番目でしたか。

読みましょう3

お金がなくても

ホワン

① 私は今、静岡の自動車工場で働いています。弟を大学へ行かせる**ために**、毎月、給料をもらったら、国の母にお金を送ります。私の夢は日本でフィリピン料理の店を開くことです。その**ために**、毎月、少しずつ貯金もしています。残りは生活費です。ですから、遊ぶ**のに**使うお金はありません。

② でも、私は日本の生活をとても楽しんでいます。うちの近くに公園がありますが、春は桜がとてもきれいです。夏は友達といっしょに神社のお祭りに行きます。お金を使わないで、日本の踊りを見たり、音楽を聞いたりすることができます。マニラは一年中20度から35度ぐらいなので、日本の季節の変化はおもしろいです。

私が住んでいる所では、市民の**ための**イベントがいろいろあります。先週の日曜日は、会社の友達に誘われて、ジャズの無料コンサートに行きました。久しぶりに生の音楽を聞いて、ほんとうに楽しかったです。

今までで、いちばんおもしろかったのは「茶道体験教室」です。日本人の彼女と行きました。茶道の先生の説明はあまりわかりませんでしたが、隣の人のやり方を見てやりました。でも、おまんじゅうを一口で食べてしまって、彼女に笑われました。
「ホワンさん、茶道では小さく切って食べるのよ。」日本の文化が体験できて、とてもよかったです。

❸ まえは、お金がなければ遊べないと思っていました。今、お金がなくても、休みの日は遊ぶ**のに**忙しいです。友達が花見やお祭りや無料コンサートに誘ってくれます。外国で、楽しい生活をする**のに**必要なのは、お金ではなくて、友達だと思います。

しつもん
① ホワンさんはなぜ国のお母さんにお金を送りますか。
② ホワンさんの春の楽しみは何ですか。夏の楽しみは何ですか。
③ ホワンさんは茶道のやり方を知っていましたか。
④ ホワンさんは今、どう思っていますか。〇か×を書いてください。
　a （　） お金がなければ、遊べない。
　b （　） 友達がいれば、楽しい生活ができる。
　c （　） お金がなくても、生活を楽しむことができる。

書きましょう2 あなたはお金を使わないで、どのように生活を楽しんでいますか。

❶ 給料（収入）を何に使いますか。

▼

❷ お金を使わないで楽しんでいることがありますか。どんなことですか。

▼

❸ 日本で楽しい生活をするために必要なこと（もの）は何だと思いますか。

ユニット 11 みんなのスポーツ

読みましょう1

野球ファン

北川健

　私はプロ野球が好きです。子どものころから広島東洋カープのファンです。ほんとうは野球場に見に行きたいのですが、遠くて、なかなか行けません。それで、いつもテレビの前で応援し**ています**。応援するとき絶対に必要な物は、ビールと枝豆、タオル、メガホンです。そしてカープの赤い帽子をかぶると、野球場に行った気分になります。

　今、「広島東洋カープ」と「阪神タイガース」の試合を見ています。2対3でカープが負けています。もうすぐ試合が終わってしまいます。そのとき、カープが打ちました！「**走れ！　走れ！　行けー**！……やったー！　逆転したあ！」大きな声で応援したので、とてものどがかわきました。ビールを飲みます。「うまいっ！」「もうちょっと、静かにして！」と台所から妻の声がしました。ことし、カープが優勝したら、もっと大きなテレビを買いたいと思っています。でも、妻が賛成してくれるかどうか……。

しつもん

① きょう、北川さんはどのように応援しましたか。

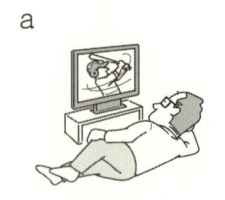

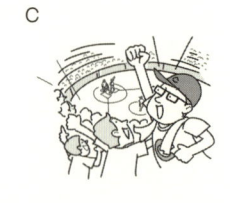

　　a　　　　　b　　　　　c

② きょうの試合はどちらが勝ちましたか。

書きましょう1　どんなスポーツを見るのが好きですか。

私は_____が好きです。_____の
　　　（どこでどのように応援しますか）

ファンです。_____ています。
（今までどんな試合を見ましたか。どうでしたか）

_____。

読みましょう2

週末サッカー

アントニオ

　日本に来たばかりのころ、僕はだれも友達がいなかった。休みの日は、いつも川の土手に座って、たくさんの人が河原のグラウンドでサッカーをしているのを見**ていた**。

　ある日、サッカーを見ていると、男の人が手を振って、僕を呼んだ。
「こんにちは。君、いつも来**てる**よね。サッカーの経験あるの？」
「ええ、ブラジルでやっ**ていました**。」と答えた。
すると、男の人は、「これから試合なんだけど、1人足りないんだ。やっ**てみる**？」と言った。
「え、いいんですか。」僕はうれしかった。試合が始まった。相手チームが蹴ったボールが僕の前に来た。「**行け！**」とだれかが叫んだ。僕はボールを蹴りながら、一生懸命走った。そして、シュート！　ボールがネットに入った。ゴール！　みんなが走って来て、「すごいね！」「上手だね！」と喜んでくれた。
　その日から僕は「ゲンキＦＣ」に入って、毎週末、サッカーを楽しん**でいる**。サッカーをしているときは、日本語があまりわからなくても、みんなが考えていることはよくわかる。今は友達もたくさんできた。練習のあとで、みんなで飲むビールは最高だ。

?しつもん
① アントニオさんは日本に来たばかりのころ、休みの日はどうしていましたか。
② アントニオさんはブラジルでサッカーをしたことがありますか。
③ アントニオさんは今、毎週末、何をしていますか。

読みましょう3

サムライになりたい！

グレッグ

① 今、僕は大阪のK市の第3中学校で英語を教え**ています**。カナダで映画「ラストサムライ」を見て、日本に行って、剣道をやっ**てみたい**、サムライになりたいと思っていました。それで、この中学校に来て、すぐに剣道部に入れてもらいました。

② 初めて面をかぶったとき、前しか見えないし、窮屈だし、とても暑かったです。胴着とはかまは短すぎて、手と足が長く出ました。でも、僕はうれしかったです。

それから毎日、練習をし**ています**。夏も冬も毎日「面！面！」と声を出しながら竹刀を振りました。時々、練習で1対1の試合をしますが、竹刀で打たれると、痛くて、泣きそうになります。でも、試合は勝ち負けがはっきりするので、好きです。

③ 剣道部で練習を始めてからもう3年です。最近は生徒に「3中のラストサムライ」と言われ**ています**。先週、市の剣道大会がありました。去年は負けましたが、ことしは勝てると思いました。試合が始まって、すぐ、「めーん！」という声といっしょに、「バシッ！」という音がしました。頭がしびれました。あーあ、ことしもだめでした。サムライになるのはとても難しいです。でも、がんばります。

しつもん
① グレッグさんはどうして剣道を始めましたか。
② グレッグさんはどうして練習で1対1の試合をするのが好きですか。
③ グレッグさんは剣道大会で勝ちましたか。

書きましょう2　あなたがしているスポーツについて書きましょう。

❶ どんなスポーツをしていますか。どうして始めましたか。

▼

❷ そのスポーツは何が大変ですか。何が楽しいですか。

▼

❸ どんなことがありましたか。

ユニット11　みんなのスポーツ　●　63

ユニット 12 仕事、がんばります

読みましょう1

子どものときの夢
三輪裕美

　私は子どものとき、マンガ家になりたいと思っていました。マンガが大好きだったからです。それで、好きなマンガをまねて練習しました。友達が登場する学園ラブコメディーをノートにかいて、みんなに見せていました。友達には人気がありました。でも、兄には絵は上手だけど、話はいつも同じだと言われました。

　この間、田舎のうちを整理していたとき、古い机の中にあのノートを見つけました。15年ぶりに見る学園ラブコメディーは、子どもがかいた下手なマンガでした。でも、ノートを見たらマンガ家になりたいと思って一生懸命かいていたときの気持ちを思い出しました。

　今、私は図書館で働いています。マンガ家には**なれませんでした**が、図書館のお知らせの絵は私がかいています。図書館に来る子どもたちがかわいいと言ってくれるので、うれしいです。私の娘は今1歳です。娘がもう少し大きくなったら、娘のために楽しいマンガをかいてあげたいです。

しつもん

① 三輪さんはどうしてマンガ家になりたいと思っていましたか。
② 三輪さんのマンガはどうでしたか。
　a　友達には＿＿＿＿＿＿＿＿＿　b　兄には＿＿＿＿＿＿＿＿＿
③ 田舎のうちにあったノートには何がかいてありましたか。
④ 今、三輪さんはマンガ家ですか。

書きましょう1

あなたがやりたかった仕事について書きましょう。

私は＿＿＿＿＿＿＿＿とき、＿＿＿＿＿＿＿＿になりたいと思っていました。

(どうしてですか)

_____からです。

(そのために何をしましたか)

_____

(子どものときの夢はどうなりましたか)

_____

読みましょう2

ピカピカ

張世林

今、私はレストランでアルバイトをしています。初めての日、私は店長に掃除道具を渡されて、「トイレの掃除をしてください。」と言われました。料理が**できる**と思っていたのに、臭くて汚いトイレ掃除を**させられました**。次の日も、次の日もトイレ掃除を**させられて**、とても嫌で、いいかげんにやっていました。

ある朝、掃除をするためにトイレへ行くと、店長が掃除をしていました。店長は便器も洗面所も鏡もピカピカになるまで一生懸命掃除をしていました。「トイレがきれいだと気持ちがいいでしょう？　料理がおいしくても、トイレが汚かったら、お客様はもう来てくれないよ。」と言いました。

それから私はきちんと掃除をするようになりました。ある日、若い2人のお客様が話しているのを聞きました。「ここのトイレ、きれいだよ。」「じゃ、わたしも行って来る。」私はうれしくなりました。それからトイレ掃除が楽しくなりました。料理や店の雰囲気は大切です。でも、お客様に喜んでもらうためには見えないサービスも大切だと気がつきました。

きょうも、トイレットペーパーの端を三角に折って、トイレ掃除が終わりました。きれいなトイレはお客様もきれいに使ってくれます。きれいに使っていただいて、ありがとうございます。

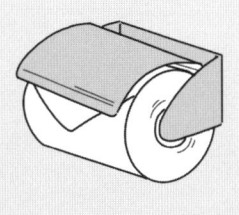

(2012年第53回外国人による日本語弁論大会主催団体特別賞田野(デンヤ)氏のスピーチに基づく)

しつもん
① 初めての日、張さんは何をすると思っていましたか。
② 張さんはどう思いましたか。どう変わりましたか。

初めての日、その次の日	トイレ掃除は_____
店長が掃除をしているのを見たあと	きちんと_____
お客様が話しているのを聞いたあと	トイレ掃除が_____ 見えないサービスも_____

読みましょう3

新米日本語教師

田中えり

❶ 学生のとき、外国人の友達に日本語を教えてほしいと言われた。そのときは上手に**教えられなかった**が、自分の国のことばを教えるのはおもしろいと思った。それで、きちんと勉強して日本語の先生になろうと思った。それから2年間一生懸命勉強した。日本語学校の採用試験のとき、模擬授業を**させられた**。緊張して、うまく**できなかった**。だから、採用されたときは、とてもうれしかった。

❷ 私は今、初級クラスで教えている。新米のころは、3時間の授業のために、前の日、3時間以上準備をした。準備をして行っても、学生に「わからない」とか、「話すのが速い」とか言われた。

ある日、準備したとおりに授業が終わった。その日は「ました、ませんでした」を教えた。

「じゃ、終わりましょう。質問がありますか。」
「はい。先生、『じゃ』は何ですか。」
「えっ?」
「『じゃ、言ってください』、『じゃ、マリアさん、どうぞ』と先生が言いました。」

「うーん。」
ほかの学生も私を見て答えを待っている。『じゃ』は私の口癖だが、うまく**説明できなかった**。新米教師の大失敗だ。

❸ 初級の学生を教えるのは難しい。でも、**話せなかった**学生が一生懸命日本語で話しているのを見ると、この仕事をしてよかったと思う。学生は「先生の授業はおもしろいです。」と言ってくれる。私は「よくわかります。」と言ってほしいのだが。

しつもん
① 田中さんはどうして日本語教師になろうと思いましたか。
② 田中さんは「じゃ」の意味が説明できましたか。
③ 田中さんが日本語教師の仕事をしてよかったと思うのはどんなときですか。

書きましょう2 あなたの仕事について書きましょう。

❶ どうしてその仕事をしようと思いましたか。

▼

❷ どんな仕事ですか。大変なことがありますか。失敗したことがありますか。

▼

❸ その仕事をしてよかったと思うのはどんなときですか。

ユニット13 わたしの町は日本一

読みましょう1

広島の田舎

ナターシャ

5年前の夏、ロシアから初めて日本に来て、広島の田舎でホームステイしました。家の周りは田んぼで、近くには山や川があって、自然が豊かでした。家にはおばあちゃんが一人で住んでいました。

おばあちゃんは家に鍵をかけません。「仏壇のおじいちゃんが守ってくれるけぇ。」と言います。だから、おばあちゃんが留守のときでも、近所の人がよく入って来て、野菜を置いて行きます。夏はエアコンをつけないで、窓を開けます。「自然の風のほうがええ。」と言うのです。「みんな生き物じゃけぇ。」と言って、クモもムカデも殺しません。初めは不便なこともありましたが、慣れると楽しくなって、私は田舎の生活がとても好きになりました。

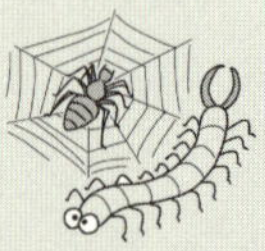

今、私は東京で働いています。毎日忙しいです。東京の生活**は**ストレス**が**多いです。時々、おばあちゃんに電話をかけます。「元気にしとるんかー。」「今度はいつ帰るんかー。」おばあちゃんの声を聞くと、広島の田舎を思い出します。「お盆には広島に帰るけぇ、待っちょっての。」気がつくと、私は広島弁で話しています。

しつもん

① ナターシャさんがホームステイした家の周りに何がありましたか。近くに何がありましたか。
② おばあちゃんはなぜ夏でもエアコンをつけませんか。
③ おばあちゃんはなぜクモもムカデも殺しませんか。
④ ナターシャさんは今広島弁が話せますか。

書きましょう1

日本で住んでいる／住んでいた町について書きましょう。

　　(いつ)　　　　(町の名前)
_____、_____に住んでいます／住んでいました。_____は
(どんな町ですか)

────────────────────────────────

(どんなことがありましたか)

────────────────────────────────

読みましょう2

雪国でがんばります！

デシー

　私は2年前にインドネシアから来ました。看護師になるために、新潟県の小さい町の病院で働きながら勉強しています。ここは冬、雪がとても多いです。2メートルぐらい積もります。私はこの町で初めて雪を見ました。そのときは「きれい！」と思いましたが、雪国の生活は大変です。

　去年の2月　私は凍った道で滑って、けがをしました。それで、仕事を休んで、寮の部屋にいました。寂しかったです。看護師の勉強はやめて、国に帰りたいと思いました。

　リリリ。ケータイが鳴りました。ちょうど母にメールを**しているところ**でした。「一人で大丈夫？　何か困っていることはない？」いつもは厳しい看護師長さんが電話をかけてくれました。

　ピピピ。今度は同僚からメールが来ました。「今、仕事が終わっ**たところ**。おいしいものを買って持って行くよ！」

　ピピピ。またメールが来ました。患者さんからでした。「早くよくなってください。デシーさんの笑顔が見たいです(*^_^*)」

　みんなが私のことを心配してくれている。もうちょっとがんばろう……。外は雪でしたが、私の心は温かくなりました。

今は毎日仕事と勉強で忙しいです。でも患者さんが「ありがとう。」と言ってくれるのがうれしいです。ほんとうにこの町の人は心が温かいです。看護師になったら、この町でずっと働くつもりです。
雪国でがんばります！

しつもん
① デシーさんはなぜ日本に来ましたか。
② デシーさんが今住んでいる町はどんな町ですか。
③ けがをして仕事を休んだデシーさんに、だれが何をしてくれましたか。
・看護師長さん：　　　　・同僚：　　　　・患者さん：
④ 看護師になったら、デシーさんは国に帰りますか。

読みましょう3

高雄がいちばん

黄志明（コウ シメイ）

❶ わたしの故郷、高雄は台湾の南にある。のんびりした町で、とても生活しやすい。一年中暑いのでTシャツで生活できるし、物価も大阪より安い。「高雄のいいところは何？」と聞かれたら、私なら「夜市と昼寝」と答える。

❷ 高雄は夜市が有名だ。道の両側に食べ物や料理の屋台がたくさん並んでいて、大勢の人が食べたり飲んだりしている。果物の赤や黄色、肉や魚を揚げる音、臭豆腐のにおい、屋台の人の大きい声。見るのも楽しいし、おなかもいっぱいになる。夜市は毎晩遅くまでにぎやかだ。
　また高雄では幼稚園から高校まで昼寝の時間があって、昼寝をしないとしかられる。会社員も昼休みには部屋を暗くして寝ている。だから、日本に来て、日本人が昼寝をしないで働いているのを見て、初めはすごいなあと思った。でも、電車の中で疲れて寝ている人を見ると、高雄の昼寝の習慣はとてもいいと思う。

❸ 午後は昼寝でリフレッシュして、夜は夜市に出かけて、楽しく食事。大阪も住みやすいが、高雄の生活がいちばんだ。

しつもん
① 高雄はどうして生活しやすいですか。
② 黄さんは高雄のどんなところがいいと言っていますか。
③ 夜市では何の音が聞こえますか。何のにおいがしますか。

書きましょう2 故郷のいいところを書きましょう。

❶ 故郷はどこにありますか。どんな町ですか。

▼

❷ 故郷のいいところの紹介。

▼

❸ 故郷のいいところについて、どう思っていますか。

ユニット13 わたしの町は日本一 ● 71

ユニット 14 ケータイ、持った？

読みましょう1

ツイッター

ポール

　僕はツイッターを利用している。ツイッターは世界の有名人もたくさん利用している。僕がフォローしているのは10人ぐらいだ。有名人のつぶやきを読むのはおもしろい。

　でも、もっとおもしろいのは、ツイッターでコミュニケーションすることだ。学校の友達やアルバイトの仲間とも気軽に会話ができる**し**、同じ趣味の人とも知り合える。それで、最近あったことや思ったことなど、何でも書いている。漢字も覚えられる**し**、日本語の練習になるから、僕はできるだけ日本語で書くようにしている。

　この間、朝、雨が降っていたので傘をさして出かけたが、帰ったときには傘を持っていなかった。「傘をなくし**てしまいました**。あした雨が降ったら困ります。」とツイッターに書いたら、「店に忘れていますよ。あしたは曇り一時雨だそうです。」と僕がアルバイトしているお店の吉田さんが返信してくれた。「ありがとうございます。あした、1時に雨なら、朝9時に取りに行きます。」と書いたら、「(笑)」と返信が来た。

しつもん

① ツイッターで、できることは何ですか。
　3つ書いてください。
　・＿＿＿＿＿＿＿＿＿＿のつぶやきが読める。
　・＿＿＿＿＿＿＿＿＿＿と気軽に会話ができる。
　・＿＿＿＿＿＿＿＿＿＿と知り合える。

② ポールさんはツイッターにどんなことを書きますか。

③ ポールさんはどこに傘を忘れましたか。

書きましょう1 ツイッターやフェイスブックなどを使った経験について書きましょう。

(どういうところがいいですか)

私は_____を利用している。_____し、

_____

(どんなことがありましたか)

_____

読みましょう2

スマホはどこ？

中村一郎

「僕のスマホ、知らない？」と聞くと、「また？　置く場所、決めておいたら？」と妻が言います。私はスマホをどこに置いたか、よく忘れ**てしまいます**。家で見つからないときは、家の電話で自分のスマホに電話します。すると、かばんの中とか、布団の下でスマホが鳴って、すぐに見つかります。

でも、外でなくしたときは大変です。先週、新幹線で東京に出張して、家に帰ったら、スマホがありませんでした。私は青くなりました。そのとき、パソコンで捜せることを思い出しました。パソコン画面でアプリをクリックすると、画面に地図が出て、スマホの位置が緑のマークで示されるのです。よく見ると、緑のマークが地図の新幹線の線路の上を動いていました。私は急いで名古屋駅に電話をかけました。

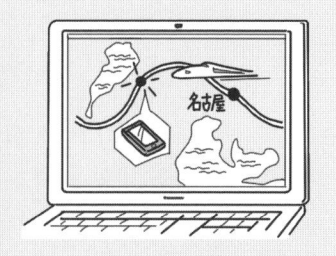

「スマホを新幹線に忘れ**てしまった**んですが。」

「はい、お調べします。」

　　　　：

スマホは無事に見つかりました。

次の日、私は名古屋駅までスマホを取りに行きました。家に帰ると、「スマホはひもで首からぶら下げておいたら？」と妻に言われ**てしまいました**。

しつもん
① 中村さんは家でスマホが見つからないときはどうしますか。
② 出張中にスマホをなくしたときは、どうしましたか。
③ 出張中になくしたスマホはどこにありましたか。

読みましょう3

うれしいメール

森田和子

❶ 私が初めてケータイを買ったのは10年前です。初めは要らないと思いましたが、今は、ないと、とても困ります。スマホにしたら？ と言われますが、私はメールと電話しか使わないし、スマホは操作が難しいし、今のケータイで十分です。

❷ ケータイがあっていちばんうれしいのは、毎年、みんなが誕生日のメールをくれることです。ことしの65歳の誕生日には5歳の孫から「おばあちゃん、おたんじょうびおめでとう！ ながいきしてね！ だいすきだよ♡」というメールをもらいました。もうひらがなでメールが書けることにびっくりしました。息子からは「お母さんお誕生日おめでとう！ もう若くないんだから、無理しないで、体に気をつけて長生きしてください。」とメールが来ました。「ありがとう(^O^)。まだまだ死なないわよ。ダンスもしたいし、海外旅行もしたいし、やりたいことがたくさんあります。ことしの8月は富士山に登る予定です！」と顔文字を入れて返信しました。娘は生まれたばかりの孫の写真を送ってくれました。かわいい男の子です。

❸ ケータイがあるので、遠くにいる家族といつでも話をしたり、メールしたりすることができます。孫が大きくなったら、孫とメールをしたいです。あと何年ぐらいでしょうか。その日がとても楽しみです。

しつもん
① 森田さんはなぜスマホは要らないと思っていますか。
② 森田さんがいちばんうれしいのはどんなことですか。
③ 森田さんは65歳の誕生日に、だれからメールをもらいましたか。
④ 森田さんはこれから何をしたいと思っていますか。

書きましょう2 あなたがもらったうれしいメールについて書いてください。

❶ いつからケータイ／スマホを使っていますか。

▼

❷ うれしいメールはいつ、だれが送ってくれましたか。
どんなことが書いてありましたか。

▼

❸ メールのいいところは何ですか。

ユニット15 結婚いろいろ

読みましょう1

初恋

北川幸子

　高校1年のとき、初めて恋をしました。相手は料理クラブの先輩でした。白いエプロンをして野菜を切っているのを見て、「すてき！」と思いました。背が高くて、優しいし、料理もスポーツもできるし、先輩はとても、もてました。私は「好きです。」と言え**ない**で、いつも見ているだけでした。そして、先輩は卒業してしまいました。
　5年後、駅でばったり先輩に会いました。スーツが似合っていました。「久しぶり。元気？」胸がドキドキしました。
　そして今、先輩の北川さんはうちのテレビの前でグーグー寝ています。運動もしないし、料理も作りません。土曜日は日本語教室でボランティアをしていますが、日曜日は何もし**ない**で、ゴロゴロしています。最近、ちょっと太ったようです。「すてきな北川さん」はどこかへ行ってしまいました。でも、初恋の人と結婚できた私は幸せ……かな？

しつもん

① 先輩はどうしてもてましたか。
② 幸子さんはだれと結婚しましたか。
③ 幸子さんのご主人は、スポーツや料理をしますか。

書きましょう1

あなたの初恋の思い出を書いてください。

_____とき、初めて恋をしました。相手は
　　　　　　　　　　　　（どんな人でしたか）
_____でした。_____

(どんな初恋の思い出がありますか)

(初恋はどうなりましたか)

読みましょう2

遠距離恋愛

佐々木優子

　私は今、名古屋のビール会社で働いている。先週、課長に「君はリーダーシップもあるし、仕事もできる。本社で働いてみないか。」と言われた。うれしかったが、すぐに返事ができなかった。もう5年間付き合っている彼がいたからだ。

　私には悲しい思い出がある。高校のとき、付き合っている人がいたが、彼が広島の大学に合格して、広島で生活する**ことになった**。「夏休みに帰って来るから、いっしょに海へ行こう。」と約束してから1か月後、彼から別れのメールが来た。新しい彼女ができたのだ。とてもショックだった。遠距離恋愛はうまくいかないと思った。

　私が転勤で東京へ行ったら、また、遠距離恋愛になる。今の彼とずっとうまくいくかどうか、心配だ。転勤は本社で働ける大きなチャンスだけど、彼とは絶対に別れたくない。とても悩んだ。私は彼に相談した。彼は「名古屋から東京まで、新幹線で1時間40分だよ。週末には会いに行くよ。優子は東京でがんばって。」と励ましてくれた。うれしかった。名古屋でずっと働くか、東京へ行くか、迷っていたが、彼のことばで心が決まった。

　来年4月、私は東京の本社に転勤する**ことになった**。離れても、心の中にはいつも彼がいる。

しつもん
① 課長に「本社で働いてみないか」と言われたとき、佐々木さんはどうしてすぐに返事ができませんでしたか。
② 佐々木さんはどうして高校のときの彼と別れましたか。
③ 今の彼は佐々木さんの転勤に反対しましたか。

読みましょう3

ご結婚、おめでとうございます
木村大翔

① タン君、えりさん、ご結婚、おめでとうございます。大学時代にタン君と同じ研究室でロボットを作っていた木村と申します。

② 大学時代のタン君はとてもまじめで、いちばん早く研究室に来て、いちばん遅くまで研究室にいました。時々、アパートに帰ら**ないで**、研究室で寝ていました。ロボットのことを考えているときは、ほかのことは考えられないようで、1週間、同じ服を着ていたこともあります。それに、研究室では無口で、「タン君がしゃべるのを聞いたことがない。」と言う人もいました。ですから、研究室の飲み会でタン君がＡＫＢ48の歌を踊りながら歌ったときは、ほんとうにびっくりしました。実は、とてもおもしろいヤツなんです。

③ タン君にある日、「日本語を教えて。」と頼まれました。それで、毎日昼休みに、大学の食堂でいっしょに日本語の勉強をする**ことになりました**。でも、タン君、全然上手にならないんです。「日本語は難しすぎる。」とか、「a 先生の教え方が下手だ。」とか、勉強し**ないで**、文句ばかり言うんです。ところが、卒業後、久しぶりにタン君に会ったとき、日本が上手になっていて、びっくりしました。「タン君、ずいぶん上手になったね。」と言うと、彼は「いいb 先生を見つけたんだ。」と言いました。みなさん、その先生がだれか、もうわかったと思います。今、タン君の隣に座っているきれいな方です。

❹ タン君、えりさん、今の熱い気持ちを忘れ**ないで**、いい家庭を作ってください。きょうはほんとうにおめでとうございます。

しつもん
① 木村さんとタン君は大学で何をしていましたか。
② 大学時代のタン君はどんな人でしたか。3つ書いてください。
③ タン君は木村さんと一生懸命日本語を勉強しましたか。
④ a、bの先生はだれですか。

書きましょう2 あなたの友達が結婚します。お祝いのスピーチを書いてください。

❶ お祝いのことばと自己紹介

▼

❷ 結婚する友達はどんな人ですか。

▼

❸ 結婚する友達とどんな思い出がありますか。

▼

❹ 二人に贈ることば

ユニット 16 大変だったね

読みましょう 1

地震だ！

ポール

　金曜日の午後の講義はつらいです。文学の講義は難しいし、先生が話す日本語は子守歌みたいです。
　先週の金曜日も私は眠いのを我慢して講義を聞いていました。そのとき、「あ、地震だ！」とだれかが言いました。窓ガラスがガタガタと音をたてました。天井の電気がゆっくりと揺れました。私はびっくりして机の下に入りました。とても怖かったです。「地震？」「あ、ほんとうだ。」「揺れているね。」周りから友達の声が聞こえました。
　地震の揺れが止まった**ので**、のぞいてみると、机の下に入っていたのは私だけでした。ほとんどの学生は椅子に座っていました。「ポールさん、地震、初めて？」と友達が私を見て言いました。気がつくと、私は頭の上にかばんを載せていました。みんなが笑った**ので**、恥ずかしかったです。
　先生は講義を続けていました。隣の学生はずっと寝ていました。

しつもん
① なぜポールさんは金曜日の授業がつらいのですか。
② ポールさんは地震が起きたとき、どうしましたか。ほかの学生はどうしましたか。
③ なぜみんなはポールさんを見て笑いましたか。

書きましょう 1　あなたが経験した地震について書きましょう。
（いつ、どこで、何をしているとき、地震がありましたか）

_____地震がありました。

（地震が起きたとき、周りはどうでしたか）

＿＿＿＿＿＿＿＿＿＿＿＿＿＿＿＿＿＿＿＿＿＿＿＿＿＿＿＿＿＿＿＿

（あなたはどうしましたか）

＿＿＿＿＿＿＿＿＿＿＿＿＿＿＿＿＿＿＿＿＿＿＿＿＿＿＿＿＿＿＿＿

（どんな気持ちでしたか）

＿＿＿＿＿＿＿＿＿＿＿＿＿＿＿＿＿＿＿＿ので、

読みましょう2

消えたテレビ

黄志明（コウシメイ）

　去年の8月、今の部屋に引っ越ししたときのことだ。前に住んでいたアパートはエレベーターがなかった**ので**、荷物を運ぶのが大変だった。日本人の友達が2人、手伝いに来てくれて、3階の部屋から階段を使ってアパートの前まで荷物を運んだ。その日はとても暑い日だった。私と友達2人は汗を拭きながら、何度も階段を上ったり下りたりした。テレビやこたつは何とか運べたが、最後に残った冷蔵庫は重くて大変だった。狭い階段を一段一段下ろして、やっとアパートの外に運ぶと、「ああっ、ない！」アパートの前に置いていたテレビとこたつがなくなっていたのだ。

　「あれ？　ごみ収集車に**持って行かれた**？」「ごみと**間違えられた**のかな。」「いや、ごみ収集車は持って行かないよ。」「じゃ、だれかに**とられた**の？」「あんな古いテレビやこたつをとる人がいるかな。」テレビは国に帰る先輩にもらったもの、こたつは冬に風邪をひいたとき、ボランティアの北川さんがくれたものだ。どちらも大切に使っていたのに……。

　あちこち捜したが、テレビとこたつはとうとう見つからなかった。

? しつもん
① 黄さんは去年の8月までどんなアパートに住んでいましたか。
② 引っ越しの荷物は何人で運びましたか。
③ 黄さんと友達はどうやって冷蔵庫をアパートの外まで運びましたか。
④ 黄さんはテレビとこたつをだれにもらいましたか。

読みましょう3

買い物の帰りに

田中えり

❶ 1か月前の話です。私はスーパーの帰りに、自転車の前のかごに買ったものを入れて走っていました。郵便局の角を曲がったとき、向こうから1台の自転車がすごいスピードで走ってきて、私の自転車にぶつかりました。

❷ 「ガチャーン!!」
私は地面に投げ出されて、膝と手にけがをしてしまいました。とても痛くて、すぐには立つことができませんでした。相手は若い男の人でした。「すみません、大丈夫ですか。」と言って、倒れた自転車を起こしたり、かごから落ちたみかんを拾ってくれたりしました。私がやっと立ち上がると、その人は「あのう、いっしょに病院に行きましょうか。」と言いました。心配そうな声でした。
私はまず病院へ行って、それから、壊れた自転車を自転車屋に持って行きました。その間、男の人はずっといっしょにいてくれました。けがをして痛かったけれど、家に帰るころには少し元気になっていました。

❸ あれから1か月。もうけがは治りました。来週、彼とサイクリングに行きます。とても楽しみです。彼の名前はタンさん、ベトナム人の留学生です。私の自転車にぶつかった人です。

しつもん
① えりさんはどうしてけがをしましたか。
② けがをしたとき、えりさんは何をしていましたか。
③ 男の人はえりさんに何をしてくれましたか。

書きましょう2 あなたが日本で経験した大変だったことや失敗したことについて書きましょう。

❶ 大変だったこと／失敗したことはいつ、どこで、何をしているとき、起きましたか。

❷ そのときの様子や気持ち

❸ その後どうしましたか。
今、そのときのことをどう思っていますか。

ユニット 17 祭りだ わっしょい！

読みましょう 1

フローレス・デ・マヨ（5月の花祭り） ホワン

　フローレス・デ・マヨは、毎年5月にフィリピンで行われるカトリックのお祭りです。お祭りのパレードでは、美しい服を着た村の娘たちが花を持って、教会まで歩きます。この日は遠い町に住んでいる親戚や家族も来るので、みんなでパーティーの準備をします。お祭りのごちそうの「豚の丸焼き」は前の日にお店に注文し**ておきます**。

　子どもたちにもいろいろな楽しみがあります。おもしろいのは、「パロセボ」です。4メートルぐらいの2本の竹を用意して、その竹に油を塗っ**ておきます**。そして竹の先にお金を入れた袋をぶら下げ**ておきます**。12歳ぐらいの男の子が2人ずつ竹を上る競争をします。速く上って袋を取った子どもが勝ちです。でも、手や足がすべって、なかなか上れません。みんな、大きな声で応援したり、笑ったりします。見るのはおもしろいけど、上るのは難しいです。僕は競争するより、豚の丸焼きのほうが好きでした。

しつもん

① フローレス・デ・マヨのパレードで、だれが何をしますか。
② パーティーの前の日に何をしますか。
③ 「パロセボ」の竹を上るのはどうして難しいですか。

書きましょう 1

あなたの国のお祭りについて書きましょう。
　　　　　　　　　　　　　　（どんな準備をしますか）

_____ は、_____ のお祭りです。_____

_____ておきます。_____
　　　　　　　　　　　（どんなところがおもしろいですか）

おもしろいのは、_____です。_____

読みましょう2

さくらまつり

アントニオ

　きょうは、町の公園で「さくらまつり」があった。僕のサッカーチームは毎年、祭りで焼きそばの店を出している。きのう、焼きそばの麺を220袋、豚肉を11キロ、キャベツを11個買った。鉄板は2日前に借り**ておいた**。朝6時に起きて、材料と道具をみんなで公園に運んだ。

　8時。晴れる**かどうか**、心配だったが、とてもいい天気だ。みんなで材料を切ったり、鉄板の用意をしたりして、お店の準備を始める。焼きそばを焼くのは、コーチの山岸さんだ。10時。山岸さんはタオルを首にかけて、「さあ、始めるよ！」と大きな声で言った。キャベツと豚肉をいためて、塩とこしょうをふる。おいしそうなにおい。そこへ麺を入れていためる。ソースをかけるとジューッと大きな音がした。11時。音楽をかけた。もちろん、サンバだ。「いらっしゃい！　おいしい焼きそば！　400円！」と踊りながら、店の前でお客さんを呼ぶ。ちょっと高いので、売れる**かどうか**、心配したが、1時にはほとんど売れてしまった。

　「お疲れさまー。かんぱーい！」「うまいっ！」仕事が終わったあと、みんなでお花見をしながらビールを飲んだり、焼きそばを食べたりした。きょうのビールは特別おいしかった。

しつもん
① お祭りの前の日までに、どんな準備をしましたか。
② 焼きそばの作り方の順番に番号を書いてください。
（　）塩とこしょうをふる。　（　）麺を入れていためる。
（　）ソースをかける。　　　（　）キャベツと豚肉をいためる。
③ アントニオさんは焼きそばの店で何をしましたか。

読みましょう3

天神祭の思い出

田中えり

❶　天神祭は、毎年夏に大阪で行われます。7月25日には、神様が船に乗って川を渡る行事があります。ちょうちんを飾ったたくさんの船が川を行ったり来たりします。

❷　私は天神祭が大好きです。いろいろなお店を見たり、金魚すくいをしたり、綿菓子を食べたりします。神様を運ぶ船や、太鼓を載せた船などを見るのもおもしろいです。全部楽しいですが、私は花火がいちばん好きです。

❸　10年前の天神祭の日のことです。私は初めて一人で浴衣を着てみました。夕方、友達が迎えに来ました。お祭りはとてもにぎやかで、人が多くて、気がつくと、私は1人になっていました。友達を捜してみましたが、見つかりませんでした。困ったなあと思ったとき、「田中？」と名前を呼ばれました。見ると、中学校のときの同級生でした。彼とは、あまり話したことはなかったけれど、背が高くなって、大人っぽくなっていました。「久しぶり。1人？」「うぅん。友達と来たんだけど、1人になっちゃって。」「浴衣いいね。だれかわからなかった……」と彼が言ったとき、ドーン！と花火があがりました。

それから、大きな音といっしょに次々にたくさんの花火が夜の空に咲きました。そのあと、彼が何か言ったけど、花火の音でよく聞こえませんでした。私たちは黙ってずっと花火を見ていました。17歳の夏でした。

しつもん
① 天神祭では7月25日に何がありますか。
② お祭りで田中さんは何をしますか。
③ 田中さんはお祭りで、だれに会いましたか。

書きましょう2 お祭りの思い出について書きましょう。

❶ どんなお祭りですか。

▼

❷ あなたは、お祭りで何をしますか。

▼

❸ お祭りの思い出

ユニット 18 楽しく 日本語

読みましょう1

カラオケで日本語

張世林

　私は日本の歌が好きです。よく友達とカラオケに行って歌っています。カラオケは歌うとき、画面に歌詞が出ます。漢字の読み方がわかるし、日本語の表現も覚えられて、日本語の勉強にとてもいいです。歌の意味がわからないときは友達に聞いたり、辞書で調べたりする**ようにしています**。それから、部屋に歌詞を書いた紙を張って覚える**ようにしています**。日本語のテキストのことばは全然覚えられない**のに**、歌のことばはすぐ覚えられます。

　この間、アルバイトをしているお店の人たちとカラオケに行きました。私は「なだそうそう」を歌いました。「外国人な**のに**、うまいなあ。」と店長にほめられました。

　きのう、テレビで、外国人だけの「のど自慢大会」を見ました。いろいろな国の人が日本語で、日本の歌を歌っていました。みんなとても上手でした。私も練習して、ぜひテレビに出てみたいです。

しつもん

① カラオケはどうして日本語の勉強にいいですか。
② 張さんは歌の意味がわからないときはどうしますか。
③ 張さんは、どうやって歌を覚えますか。
④ 張さんが見た「のど自慢大会」はどんな大会ですか。
　_____が_____を歌う大会です。

書きましょう1

あなたの「○○で日本語」を書きましょう。

私は_____が好きです。_____は_____し、

_____ので／て、日本語の勉強にとてもいいです。

日本語がわからないときは、_____ようにしています。

(どんなことがありましたか)

_____

(日本語が上手になったら、何がしたいですか)

_____たいです。

読みましょう2

マンガで日本語

ポール

　僕は日本のマンガが大好きだ。僕が日本に興味を持ったのは、友達から借りた日本のマンガ「NARUTO」を見てからだ。そのマンガのセリフは英語だった。それから、いろいろなマンガを読んだ。日本に行って、日本語でマンガを読みたいと思った。

　僕はマンガを読むとき、わからないことばがあっても、すぐ辞書を見な**いようにしている**。話からどんな意味か考えて、マンガの絵からセリフの意味を考える。それから、辞書で調べる**ようにしている**。僕の考えが合っていると、とてもうれしい。おもしろいので何回も読んでいると、セリフを全部覚えてしまう。覚えたら、今度はそれを使う**ようにしている**。

　おととい、友達と10時に会う約束をしていたが、遅れてしまった。「すまぬ。朝寝坊したでござる。」と謝ると、友達が笑って「私も今来たでござる。」と言った。周りの人たちがみんな私たちを見て笑った。「ござる」は昔の侍が使ったことばで、マンガの中にはよく出てくる。「アルバイトでは使ってないよね。」と友達が言った。もちろんでござる。

サムライでござる

しつもん
① ポールさんが初めて読んだマンガは何ですか。
② ポールさんはわからないことばがあるとき、どうしますか。正しいものを選んでください。
　　a　辞書で調べる→考える→何回も読んでいると、覚える→使う
　　b　考える→辞書で調べる→何回も読んでいると、覚える→使う
　　c　友達に聞く→辞書で調べる→何回も使う→覚える
③ ポールさんは、アルバイトでマンガのことば（〜でござる）を使っていますか。

読みましょう3

おしゃべりで日本語
オウタンタン
王丹丹

❶　私は、1週間に1回、うちの近くの日本語教室に行っています。教室では、パクさんとボランティアの北川さんと、たくさんおしゃべりをします。

❷　先週は、旅行の話をしました。実は、私はずっとおかしいなあと思っていたことがありました。
「先月、神戸に遊びに行って、アパートの大家さんにお土産を買いました。お土産を渡すと大家さんは、『わあ、大きい』と言いました。小さいお土産なのに、どうして『大きい』と言ったんですか。」
「ああ、それは『おおきに』と言ったんじゃない？『おおきに』というのは、大阪弁で『ありがとう』という意味よ。」とパクさんが言いました。
「ああ、そうか！」私は目の前がぱっと明るくなりました。
「『おおきに』は昔は『大きい』とか『たくさん』という意味でした。昔は『おおきに、ありがとう』と言いました。だんだん『ありがとう』を言わないで、『おおきに』だけ言うようになったそうですよ。」
と北川さんが説明してくれました。
「なるほどー。」

❸　教室では、いつも新しい発見があります。楽しくおしゃべりをしながら日本語が覚えられます。ですから、まちがいを気にしないで、たくさんおしゃべりしたいと思います。

しつもん
① 王さんがおかしいと思っていたことは何ですか。
② 「目の前がぱっと明るくなりました。」はどんな意味ですか。正しいものを選んでください。
　a　電気がついて部屋が明るくなった。
　b　おかしいと思っていたことがわかった。
　c　みんなが楽しく日本語を勉強して、明るい顔になった。
③ アパートの大家さんは、ほんとうは何と言いましたか。

書きましょう2　日本語でおしゃべりをしたときのことを書いてください。

❶ どこで日本語を勉強していますか。

▼

❷ おしゃべりをしていて、気がついたことや覚えたことばがありますか。
それは、どんなおしゃべりでしたか。

▼

❸ 日本語でおしゃべりするのはどうですか。

ユニット18　楽しく　日本語

ユニット 19 女と男―仕事と役割

読みましょう1

掃除は夫

マリア

うちではいつも私が料理を作ります。ブラジル料理はもちろん得意だし、夫が好きな日本料理も本を見ながら作ります。夫は何でも食べてくれますが、おいしいかどうか言いません。おいしいときは、「おいしい！」と言っ**てほしい**です。

夫は料理はしませんが、掃除はします。休みの日は家中の窓を開けて掃除します。まず部屋の中を片づけて、次に掃除機をかけて、それから床を拭きます。窓ガラスも磨きます。家の中はいつもピカピカです。この間、友達がうちに来て、「うらやましいわ。うちの主人は全然家事をしないのよ。」と言いました。友達は一人で料理も掃除もしなければならないから、大変だなと思いました。

でも、私もちょっと困っていることがあります。夫が何でも整理して、捨ててしまうことです。この間、私が2年前に買って、2、3回しか使っていないダイエット器具を捨てられてしまいました。私が文句を言うと、夫は「ダイエットはマリアには無理だよ。僕は今のマリアがいい。」と言いました。今度こそダイエットしようと思っていたのに。捨てるまえにちょっと聞い**てほしい**です。

しつもん

① マリアさんのうちでは夫はどんな家事をしますか。
② マリアさんがちょっと困っていることは何ですか。
③ マリアさんは夫に何をしてほしいと思っていますか。
　・料理について：＿＿＿＿＿＿＿＿＿＿＿＿＿＿＿＿＿＿＿＿
　・整理について：＿＿＿＿＿＿＿＿＿＿＿＿＿＿＿＿＿＿＿＿

書きましょう1

あなたのうちではだれがどんな家事をしていますか。
（何をしますか）

うちでは私が_____
（家事をしているときの様子）

_____
（妻／夫は何をしますか）

_____
（家事をしているときの様子）

_____
（妻／夫に言いたいこと）

_____てほしいです。

読みましょう2

彼女の引っ越し

グレッグ

　僕の彼女が先月、隣の町に引っ越しした。手伝っ**てほしい**と言われて、引っ越しの日の朝、彼女のアパートへ行った。
　いっしょに荷物をまとめて、掃除もして、引っ越し会社の人を待っていると、トラックに乗って来たのは女性2人だけだった。僕は男性が来ると思っていた**ので**、びっくりした。「女の人だけだよ。」と僕が言うと、「女の一人暮らしだから、女性スタッフに来てもらうサービスを頼んでみたの。」と彼女は言った。女性だけで大丈夫？　荷物は多くないけど、冷蔵庫やテレビもあるし、重い段ボール箱もある。僕ががんばらないと……。でも、僕が手伝うまえに、2人はてきぱきと荷物を運んで、トラックに積んで、行ってしまった。
　急いで新しい部屋に行くと、2人は先に着いて待っていた。そしてまた、てきぱきと荷物を下ろして、冷蔵庫やテレビを頼んだ場所まで運んでくれた。僕が運んだのは本棚と段ボール箱1つだけ。「すごいですね！」

と言うと、2人は笑って、「コツがわかれば、できるんですよ。」と言った。
　次の日、僕は腰が痛くて、なかなか起きられなかった。重い荷物を持つときのコツを聞いておけばよかった……。

しつもん

① グレッグさんは引っ越し会社の人が来たとき、なぜびっくりしましたか。
② グレッグさんが女性スタッフについて思ったことや考えたことを書いてください。

	どうでしたか、どう思いましたか
2人の女性スタッフを見たとき	
引っ越しの荷物を運ぶまえ	
荷物を新しい部屋に運んだあと	

③ グレッグさんは何を運びましたか。

読みましょう3

おさむ先生

中島かおり

❶ 　先月から3歳の息子を保育園に預けて、働いています。預けるまえは、息子が保育園に行くのを嫌がらないか、とても心配でした。最初の日、息子を保育園に連れて行くと、男性の保育士さんが笑顔で迎えてくれました。保育士は女性だと思っていた**ので**、ちょっとびっくりしました。彼は息子を片手で抱き上げて、「お母さん、大丈夫ですよ。いってらっしゃい！」と言ってくれました。私は少し安心しました。

❷ 　それから1か月、息子は初めのころはよく泣いていましたが、今は毎日、楽しく過ごしています。特に最初の日に迎えてくれたおさむ先生が大好きで、毎日家に帰ると、おさむ先生のことを話しています。「おさむ先生はすごいよ。男の子5人で先生とお相撲したよ。」「せみ捕りをしたんだ。ぼくは3匹捕ったよ。」「きょうは忍者ごっこをしたよ。」

❸ 「おさむ先生は高い木から飛び降りたんだ。」息子が楽しそうに話すのを聞いていると、私もうれしくなります。おさむ先生と遊んで、息子は心も体も大きく成長しています。
　今まで、保育士は女性のほうがいいと思っていました。でも、おさむ先生に会って、男性の保育士もいいと思うようになりました。男性の保育士がもっと増え**てほしい**と思います。

しつもん
① 初めて保育園に行った日、中島さんはなぜびっくりしましたか。
② 中島さんの息子はおさむ先生とどんな遊びをしますか。
③ 今、中島さんの息子は保育園を嫌がっていますか。

書きましょう2 男性が多い仕事をしている女性、女性が多い仕事をしている男性について書きましょう。

❶ その仕事をしている人にどこで会いましたか。どう思いましたか。

▼

❷ その人はどんな人ですか。働いているときの様子を書きましょう。

▼

❸ その人が働いているときの様子を見て、どう思いましたか。

ユニット19　女と男―仕事と役割

●ユニット 20

ごみを減らそう

読みましょう1

もったいない

ナターシャ

　もし、「あなたが『もったいない』と思うものは何ですか。」と聞かれたら、私は「デパートの包装紙や紙袋。」と答えます。

　私は会社の帰りによくデパートの地下で晩ごはんの材料を買います。肉を買うと、店員さんはまず肉用のシートで肉を包みます。それをビニール袋に入れて、もう一度きれいな包装紙で包みます。そしてそれをレジ袋に入れます。パンを3つ買うと、1つずつビニール袋に入れてから、レジ袋に入れてくれます。レジ袋をたくさん持っていると、「まとめて紙袋に入れましょうか。」と店員さんが聞きます。

　初めは「日本は何でも丁寧だなあ。」と感心しました。そして、きれいな包装紙やレジ袋は捨てないで引き出しにしまっておきました。でも、どんどん増えて、最後は捨ててしまいます。1回使っただけなのに……。丈夫でいい紙なのに……。ほんとうにもったいないです。

　今は、かばんの中にいつもレジ袋を1枚入れておく**ようにしています**。買い物のときは「包まなくてもいいです。袋は要りません。」と言う**ようにしています**。

しつもん ① 店員さんはどんな順序で肉を包みましたか。

　　　a 肉用シート　　b レジ袋　　c 包装紙　　d ビニール袋

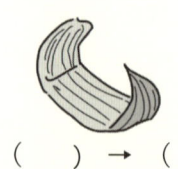

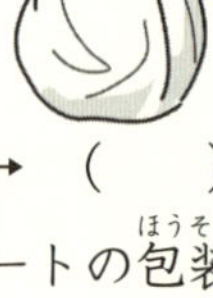

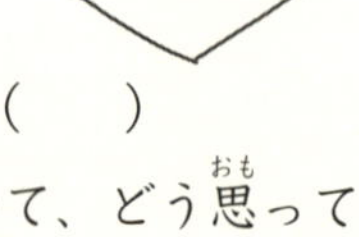

　　　（　）→（　）→（　）→（　）

② ナターシャさんはデパートの包装について、どう思っていますか。

③　ナターシャさんは今、買い物のとき、どうしていますか。

書きましょう1　「もったいない」と思うものは何ですか。

もし、「あなたが『もったいない』と思うものは何ですか」と聞かれたら
　　　　　　　　　　　　（どんな経験をしましたか）

私は_____と答えます。_____

_____

（どう思いましたか／思いますか）

_____

_____

（今、どうしていますか）

_____ようにしています。

読みましょう2

５３０運動

張世林

　先週の日曜日、ボランティアの北川さんに誘われて、「ごみゼロ運動」に参加した。「ごみゼロ運動」は、住んでいる地域をきれいにしよう、ごみをなくそうという運動で、日本のいろいろな所で行われているそうだ。
　朝8時半、公園には大勢の人が集まっていた。子どもといっしょに参加している人もいた。初めに、市役所の人から説明を聞いた。「駅まで歩きながら落ちているごみを拾います。燃やせるごみと燃やせないごみを分けてビニール袋に入れてください。では、しゅっぱーつ！」
　いつもはあまり気がつかなかったが、道の横の溝やバス停の周りに、ペットボトルや空き缶、お菓子の袋などたくさんごみが落ちていた。たばこの吸い殻も多かった。途中で、5歳ぐらいの女の子が「おじさん、まだそれだけ？私、こんなにたくさん拾ったよ。半分あげるね。」と言って、僕の袋に空き缶

をいっぱい入れてくれた。公園に戻ると、北川さんが僕の袋を見て、「張さん、がんばったね！」「あっ、いえ、はい……。」

　５月の青空の下、たくさん歩いて運動もできたし、女の子とも友達になったし、町もきれいになって、ほんとうに気持ちがよかった。

しつもん
① 「５３０運動」は何と読みますか。
② 張さんは「５３０運動」に参加して、何をしましたか。
③ どんなごみが落ちていましたか。
④ 北川さんはどうして「張さん、がんばったね！」と言いましたか。

読みましょう３

赤いチューリップのお弁当箱
北川幸子

❶ うちに赤いアルミのお弁当箱があります。私が幼稚園に入るときに母が買ってくれたものです。ふたにチューリップの絵がかいてあります。45年前のお弁当箱ですが、色もきれいで、まだ十分使えます。

❷ 幼稚園のときは毎日お弁当がとても楽しみでした。ふたを開けると、花の形のゆで卵や「うさぎりんご」、「たこのウインナ」など、好きなおかずがいっぱい。お弁当箱には母の愛情が詰まっていました。
　結婚するときも、引っ越しの荷物の中にこのお弁当箱を入れました。そして、娘が生まれて、やがて幼稚園へ行くようになりました。娘も毎日、赤いチューリップのお弁当箱を持って通いました。娘は初め、「キティちゃんのお弁当箱がいい。新しいの、買って。」と言いましたが、「これ、お母さんも幼稚園のとき、使っていたのよ。」と言うと、喜んで持って行きました。「ただいま。きょうも全部食べたよ。」と空のお弁当箱を見せてくれました。このお弁当箱を見ると、娘の笑顔を思い出します。

❸ その娘は今、25歳。来月、子どもが生まれます。チューリップのお弁当箱は娘にあげようと思っています。孫はこのお弁当箱を使ってくれるでしょうか。

【しつもん】
① 北川さんは赤いアルミのお弁当箱をいつ、だれに買ってもらいましたか。
② 北川さんの娘が幼稚園に持って行ったお弁当箱はどちらですか。
　　a　キティちゃんのお弁当箱　　b　赤いチューリップのお弁当箱
③ 赤いチューリップのお弁当箱は今、だれが持っていますか。
　　a　北川さん　　b　北川さんの娘　　c　北川さんの孫

書きましょう2　あなたのうちにある古いもの、長く使っているものについて書いてください。

❶ うちに古いものがありますか。どのくらい長く使っていますか。

❷ どんな思い出がありますか。

❸ 今、それはまだありますか。どうなりましたか。

「しつもん」の答え

ユニット1　はじめまして

読みましょう1　「天国」という意味です
① 「天国へ行くときのノフィタのちょうちん」という意味です。
② 天国へ行くとき、ちょうちんがあれば明るいので、道に迷わないからです。
③ 駿河湾という海です。

読みましょう2　風呂さん
① いいえ、好きではありませんでした。
② 珍しい名字がいいと思っていました。
③ ・いいところ：名前の話からスムーズに仕事の話に進むことができます。すぐ名前を覚えてもらえます。
　　・困るところ：はんこ屋のショーケースの中に「風呂」のはんこがないのが不便です。
④ 嫌だと思っています。

読みましょう3　好きなもの、好きなこと
① 映画を見ることです。
② ホラー映画やアニメ映画が好きです。
③ いいえ、ありません。日本へ来て、初めて食べました。
④ はい、好きです。日本語でおしゃべりするのは楽しいです。

ユニット2　いただきまーす

読みましょう1　朝ごはん、昼ごはん
① 朝ごはんはいつもパンと紅茶です。休みの日は中華粥を食べます。卵や野菜も食べます。
② 会社の食堂で同僚と食べます。

読みましょう2　朝の2時間
① (a) → (f) → (b) → (g) → (e) → (h) → (c) → (d)

読みましょう3　どんどん、どんぶり

① 外で食べると高いからです。
② 仕事が忙しくなったからです。
③ 簡単そうだったからです。

ユニット3　ちょっと買い物に

読みましょう1　ササキベーカリー

① あんパンを買うためです。
② 故郷のパン屋はパンは全部ショーケースに入っていて、店の人に取ってもらいますが、ササキベーカリーは欲しいパンを自分で取って、トレイに載せます。
③ 安いからです。

読みましょう2　忍者参上

① 日本の古い陶器や家具、どうやって使うかわからない物を売っています。
② いいえ、ありません。(いつも通り過ぎていました。)
③ 店のおじいさんがその手裏剣は本物だと言ったからです。

読みましょう3　赤い靴

① 日本の靴屋に大きいサイズの女性の靴がないことです。
② サイズが合わなかったり、イメージが違ったりする失敗があります。
③ 結婚式に着るドレスに合う赤い靴を探していました。
④ 届いた靴がきつくて入らなかったけど、あきらめられなかったからです。

ユニット4　ジェスチャーで伝えよう

読みましょう1　指の運動

① 中国人に日本のジェスチャーが通じるかどうかわからなかったからです。
② 大げさなジェスチャーはしないほうがいいです。相手の体に触れないほうがいいです。
③ いいえ、いけません。

読みましょう2　私は臭いですか

① のどの薬を買いに行きました。
② 失礼だと思いました。
③

	どんな意味でしたか。	どんな意味だと思いましたか。
a	店の人 （英語は）わかりません	グレッグさん （あなたは）臭いです
b	グレッグさん 違います	友達 臭いです

読みましょう3　招き猫

① 壁には料理の名前を書いた紙が張ってあります。棚にはお酒の瓶が並べてあります。
② お客さんを手招きしています。
③ 日本は手のひらを下に向けて振ります。アメリカは手のひらを上に向けます。

ユニット5　旅行大好き

読みましょう1　サンフランシスコ

① 橋の下を鳥が飛んでいたり、船が通ったりするのが見えて、おもしろいからです。
② ゴールデンゲートブリッジの西の海岸にあります。
③ 恥ずかしがり屋の橋や、海や、緑の山が見えます。

読みましょう2　少年時代へ

① 畑→家やマンション　　お菓子屋→コンビニ　　私の家→駐車場
②

どこへ行きましたか。	子どものとき何をしましたか。
小さい川	魚やおたまじゃくしを捕りました。
神社	石垣から飛び降りました。 広場で野球をしました。

読みましょう3　清水の舞台

① 「清水の舞台から飛び降りる」ということわざを聞いて、どんな舞台か見たかったからです。
② 扇子や刀、ちゃわんや皿を売っていました。
③ 京都の町が見えました。

ユニット6　ペットと暮らす

読みましょう1　歌うカナリア

① CDをかけるとカナリアが歌い始めたからです
② クラシック音楽が好きです。ロック音楽が嫌いです。
③ クラシック音楽を聞くと必ずいっしょに歌いますが、ロック音楽を聞いても歌わないからです。

読みましょう2　チーちゃん

① ・チーちゃんがピンクのTシャツを着ていたこと
　　・チーちゃんのセーターが1万円もしたこと
　　・チーちゃんを抱っこして散歩すること
② a　お姉さん　b　元太さん　c　元太さん

読みましょう3　ピヨの思い出

① えさや水をやったり、ピヨの家の掃除をしたりしました。夜はお湯を入れた瓶をタオルで包んで、ひよこの近くに置きました。
② コケコッコーと鳴いたからです。
③ ゆで卵が食べられないからです。

ユニット7　お元気ですか

読みましょう1　ストレス、さようなら

① 日本語教室に行くことです。

② 日本語がよくわからないので、相手が言っていることがわからないし、言いたいことも言えないことです。
③ 武田さん：日本語　マリアさん：日本語　韓国人の友達：韓国語

読みましょう2　あなたの代わり

①

きのうの夜	体の調子が悪かった。
けさ	気分が悪くて、せきが出た。熱が38.2度だった。
会社から帰って来たとき	熱が高かった。
寝たあと	熱が下がった。

② 出張の報告を会議でしなければならなかったからです。
③ いいえ、休んだほうがいいと思いました。

読みましょう3　ちょっと健康法

① a ×　b ○　c ○
② a

ユニット8　春は桜　秋はもみじ

読みましょう1　マスクの春

① 町を歩いている人がみんなマスクをしていたからです。
② 花粉症になったからです。
③ c

読みましょう2　緑のカーテン

① 日本の夏がとても暑いからです。
② いいえ、つけません。電気代が高いからです。
③ ・武田さん：扇風機をつけています。
　　　　　　　ベランダで朝顔を育てています。

・アパートの人：ゴーヤを育てています。

　　　　　　　　すだれをつるしています。

・マルテンさん：扇風機を買いました。

　　　　　　　　すだれをつるしています。

　　　　　　　　保冷剤を入れたタオルを首に巻いています。

④　ゴーヤを育てて、緑のカーテンを作ろうと思っています。

読みましょう3　春のナムル

① 春の初め、3月です。
② いろいろな山菜の芽が見られます。
③ 市場に「春のナムル」が並べられたときです。
④ おばあさんといっしょに野原に山菜（春のナムル）を摘みに行きました。

ユニット9　何を食べようかな

読みましょう1　おにぎり・パン・カレー

① とても酸っぱかったからです。
② 変な食べ物だと思いました。
③ 売っているルウを使って作ります。

読みましょう2　おいしいもの、見つけた

① 東京でうな重、北海道で海鮮どん、京都で抹茶ソフトクリーム、大阪でお好み焼きを食べました。
② うな重です。
③ いいえ、食べていません。
④ 左から（ d ）（ a ）（ c ）（ b ）

読みましょう3　たこ焼きパーティー

① 元太さんの家で作りました。
② 竹ぐしでひっくり返すのが難しかったです。
③ （ c ）→（ d ）→（ b ）→（ a ）

ユニット10　日本の生活　高い？安い？

読みましょう1　美人になりました
① 美容院のカット代です。
② いいえ、短かったです。
③ いいえ、ありません。
④ いいえ。髪を伸ばそうと思っています。

読みましょう2　たまごとたばこ
① 隣の駅の前の新しいスーパーで売っていました。
② スーパーのチラシをチェックします。
③ 子ども将来のために、そして、いつか家を建てるために、貯金したいと思っています。
④ 49番目でした。

読みましょう3　お金がなくても
① 弟を大学へ行かせるためです。
② 春の楽しみは桜です。夏の楽しみは神社のお祭りです。
③ いいえ、知りませんでした。隣の人のやり方を見て、やりました。
④ a（ × ）b（ ○ ）c（ ○ ）

ユニット11　みんなのスポーツ

読みましょう1　野球ファン
① b
② 広島東洋カープが勝ちました。

読みましょう2　週末サッカー
① 川の土手に座って、サッカーをしている人を見ていました。
② はい、あります。
③ サッカーを楽しんでいます。

読みましょう3　サムライになりたい！

① 映画「ラストサムライ」を見たからです。
② 勝ち負けがはっきりするからです。
③ 負けました。

ユニット12　仕事、がんばります

読みましょう1　子どものときの夢

① マンガが大好きだったからです。
② a　友達には人気がありました。
　　b　兄には絵は上手だけど、話はいつも同じだと言われました。
③ 子どものときにかいたマンガです。
④ いいえ。図書館で働いています。

読みましょう2　ピカピカ

① 料理をすると思っていました。
②

初めての日、その次の日	トイレ掃除はとても嫌で、いいかげんにやっていました。
店長が掃除をしているのを見たあと	きちんと掃除をするようになりました。
お客様が話しているのを聞いたあと	トイレ掃除が楽しくなりました。見えないサービスも大切だと気がつきました。

読みましょう3　新米日本語教師

① 自分の国のことばを教えるのはおもしろいと思ったからです。
② いいえ、できませんでした。
③ 話せなかった学生が一生懸命日本語で話しているのを見たときです。

ユニット13　わたしの町は日本一

読みましょう1　広島の田舎
① 家の周りに田んぼがありました。
　　近くに山や川がありました。
② 自然の風のほうがいいからです。
③ クモもムカデも生き物だからです。
④ はい、話せます。

読みましょう2　雪国でがんばります！
① 看護師になるためです。
② 小さい町です。冬は雪がとても多いです。
③ ・看護師長さん：電話をかけてくれました。
　　・同僚：メールをしてくれました。
　　・患者さん：メールをしてくれました。
④ いいえ、帰りません。この町で働くつもりです。

読みましょう3　高雄がいちばん
① 一年中暑いのでTシャツで生活できるし、物価も大阪より安いからです。
② 夜市と昼寝です。
③ 肉や魚を揚げる音が聞こえます。臭豆腐のにおいがします。

ユニット14　ケータイ、持った？

読みましょう1　ツイッター
① ・有名人のつぶやきが読める。
　　・学校の友達やアルバイトの仲間と気軽に会話ができる。
　　・同じ趣味の人と知り合える。
② 最近あったことや思ったことなど何でも書きます。
③ ポールさんがアルバイトしているお店です。

読みましょう2　スマホはどこ？
① 家の電話で、自分のスマホに電話をかけます。
② パソコンで捜しました。
③ 新幹線の中にありました。

読みましょう3　うれしいメール
① メールと電話しか使わないし、スマホは操作が難しいからです。
② 毎年、家族が誕生日にメールをくれることです。
③ 5歳の孫と、息子と娘からもらいました。
④ ダンスをしたり、海外旅行をしたりしたいと思っています。

ユニット15　結婚いろいろ

読みましょう1　初恋
① 背が高くて、優しいし、料理もスポーツもできるからです。
② 料理クラブの先輩の北川さんと結婚しました。
③ いいえ。運動もしないし、料理も作りません。

読みましょう2　遠距離恋愛
① 5年間付き合っている彼がいたからです。
② 彼に新しい彼女ができたからです。
③ いいえ。「東京でがんばって。」と励ましてくれました。

読みましょう3　ご結婚、おめでとうございます
① ロボットを作っていました。
② まじめな人。無口な人。おもしろい人。
③ いいえ。勉強しないで、文句ばかり言いました。
④ a 木村さん　b えりさん

ユニット16　大変だったね

読みましょう1　地震だ！
① 文学の講義は難しいし、先生が話す日本語は子守歌みたいだからです。
② ポールさんは机の下に入りました。ほとんどの学生は椅子に座っていました。
③ 頭の上にかばんを載せて机の下に入っていたからです。

読みましょう2　消えたテレビ
① エレベーターがないアパートに住んでいました。
② 3人で運びました。
③ 狭い階段を一段一段下ろして、運びました。
④ テレビは先輩にもらいました。こたつは北川さんにもらいました。

読みましょう3　買い物の帰りに
① 男の人の自転車がえりさんの自転車にぶつかったからです。
② 自転車で走っていました。
③ 倒れた自転車を起こしたり、みかんを拾ったり、病院や自転車屋にいっしょに行ったりしてくれました。

ユニット17　祭りだ　わっしょい

読みましょう1　フローレス・デ・マヨ（5月の花祭り）
① 美しい服を着た村の娘たちが花を持って、教会まで歩きます。
② 「豚の丸焼き」を注文します。
③ 竹に油が塗ってあるからです。

読みましょう2　さくらまつり
① 焼きそばの麺、豚肉、キャベツなどを買いました。
　 鉄板を借りておきました。
② （2）塩とこしょうをふる。（3）麺を入れていためる。
　 （4）ソースをかける。　（1）キャベツと豚肉をいためる。

③ 音楽をかけて踊りながら、お客さんを呼びました。

読みましょう3　天神祭の思い出
① 神様が船に乗って川を渡る行事があります。
② いろいろなお店を見たり、金魚すくいをしたり、綿菓子を食べたりします。
③ 中学校のときの同級生に会いました。

ユニット18　楽しく　日本語

読みましょう1　カラオケで日本語
① 漢字の読み方がわかるし、日本語の表現も覚えられるからです。
② 友達に聞いたり、辞書で調べたりします。
③ 部屋に歌詞を書いた紙を張って覚えます。
④ いろいろな国の人が日本の歌を歌う大会です。

読みましょう2　マンガで日本語
① 「NARUTO」です。
② b
③ いいえ。使っていません。

読みましょう3　おしゃべりで日本語
① 小さいお土産を渡したのに、大家さんが「大きい」と言ったことです。
② b
③ 「おおきに」と言いました。

ユニット19　女と男—仕事と役割

読みましょう1　掃除は夫
① 夫は掃除をします。
② 夫が何でも整理して、捨ててしまうことです。
③ 料理について：おいしいときは、おいしいと言ってほしいと思っています。

整理について：捨てるまえに、ちょっと聞いてほしいと思っています。

📖 読みましょう2　彼女の引っ越し

① 男性が来ると思っていたのに、女性が来たからです。

②

	どうでしたか、どう思いましたか。
2人の女性スタッフを見たとき	びっくりしました。
引っ越しの荷物を運ぶまえ	「女性だけで大丈夫？」と思いました。
荷物を新しい部屋に運んだあと	すごいと思いました。

③ 本棚と段ボール箱を1つだけ運びました。

📖 読みましょう3　おさむ先生

① 保育士は女性だと思っていたのに、男性の保育士が迎えてくれたからです。
② 相撲をしたり、せみ捕りをしたり、忍者ごっこをしたりします。
③ いいえ。毎日、楽しく過ごしています。

ユニット20　ごみを減らそう

📖 読みましょう1　「もったいない」

① （ a ）→（ d ）→（ c ）→（ b ）
② もったいないと思っています。
③ 「包まなくてもいいです。袋は要りません。」と言うようにしています。

📖 読みましょう2　530運動

① 「ごみゼロうんどう」と読みます。
② 駅まで歩きながら落ちているごみを拾いました。
③ ペットボトルや空き缶、お菓子の袋、たばこの吸い殻などが落ちていました。
④ 張さんの袋に空き缶がいっぱい入っていたからです。

読みましょう3　赤いチューリップのお弁当箱

① 幼稚園に入るとき、お母さんに買ってもらいました。
② b
③ a

著者
澤田幸子　合同会社　おおぞら日本語サポート　副代表、日本語教師
武田みゆき　日本語教師
福家枝里　大阪YWCA　日本語非常勤講師
三輪香織　日本語教師

本文・カバーイラスト
内山洋見

装丁・本文デザイン
山田武

日本語　読み書きのたね

2015年6月12日　初版第1刷発行
2025年4月10日　第7刷発行

著　者　　澤田幸子　武田みゆき　福家枝里　三輪香織
発行者　　藤嵜政子
発　行　　株式会社スリーエーネットワーク
　　　　　〒102-0083　東京都千代田区麹町3丁目4番
　　　　　　　　　　　トラスティ麹町ビル2F
　　　　　電話　営業　03(5275)2722
　　　　　　　　編集　03(5275)2725
　　　　　https://www.3anet.co.jp/
印　刷　　倉敷印刷株式会社

ISBN978-4-88319-713-2　C0081
落丁・乱丁本はお取替えいたします。
本書の全部または一部を無断で複写複製(コピー)することは著作権法上での例外を除き、禁じられています。

スリーエーネットワークの日本語教材

■ 日本語教室で学ぶ外国人のための初級教材の続編

新装版 いっぽ にほんご さんぽ
暮らしのにほんご教室 初級1

にほんごの会企業組合、宿谷和子、天坊千明 ● 著
B5判　197頁　補助教材ダウンロード(音声・語彙リスト等)
※語彙リスト　英語・中国語・韓国語・ベトナム語訳付き
2,640円(税込)　〔ISBN978-4-88319-791-0〕

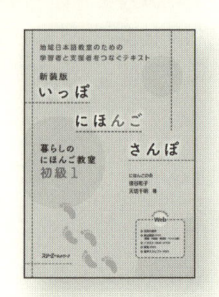

新装版 いっぽ にほんご さんぽ
暮らしのにほんご教室 初級2

にほんごの会企業組合、宿谷和子、天坊千明、森桂子 ● 著
B5判　233頁　補助教材ダウンロード(音声・語彙リスト等)
※語彙リスト　英語・中国語・韓国語・ベトナム語訳付き
2,640円(税込)　〔ISBN978-4-88319-785-9〕

いっぽ にほんご さんぽ
暮らしのにほんご教室 初級3

にほんごの会企業組合、宿谷和子、天坊千明、森桂子 ● 著
B5判　239頁　補助教材ダウンロード(音声・語彙リスト等)
※語彙リスト　英語・中国語・韓国語・ベトナム語訳付き
2,640円(税込)　〔ISBN978-4-88319-776-7〕

■ 外国人の日本語学習をサポート

日本語 おしゃべりのたね 第2版

西口光一 ● 監修　澤田幸子、武田みゆき、福家枝里、三輪香織 ● 著
B5判　130頁+別冊(「ユニット1～20」の活動の手引き、
「日本語文法への入り口」活動の手引き) 29頁
1,760円(税込)　〔ISBN978-4-88319-585-5〕

■ 楽しく学習したい入門レベルの学習者に最適

日本語20時間 Now You're Talking!
— Japanese Conversation for Beginners —

宮崎道子、郷司幸子 ● 著
電子書籍のみ販売しています　電

スリーエーネットワーク

ウェブサイトで新刊や日本語セミナーをご案内しております。
https://www.3anet.co.jp/

『日本語 読み書きのたね』別冊

1.
「新しいことば」

2.
「ユニット1～20」の活動の手引き

スリーエーネットワーク

1.
「新しいことば」

●ユニット 1

	英語訳	中国語訳	（　　　　）語訳

読みましょう1

てんごく（天国）	heaven	天堂	
ちょうちん	lantern	灯笼	
みちにまよいます（道に迷います）	lose one's way	迷路	

読みましょう2

きゅうせい（旧姓）	maiden name	原来的姓氏	
みょうじ（名字）	family name	姓	
だんし（男子）	boy	男子	
とざんぶ（登山部）	mountaineering club	登山俱乐部（课外活动小组）	
はいります（入ります）	join	加入	
ぶいん（部員）	club member	（登山）俱乐部成员	
スムーズ[な]	smooth	顺利	
すすみます（進みます）	move into, proceed	进展	
ショーケース	showcase	陈列橱窗	
ふろや（風呂屋）	public bath	澡堂	
へいぼん[な]（平凡[な]）	ordinary, common	平凡、一般	
ところ	point	处、地方	

読みましょう3

ホラーえいが（ホラー映画）	horror film	恐怖影片	
たべあるき（食べ歩き）	trying out the food at various restaurants	尝遍各地名菜	
おこのみやき（お好み焼き）	pancake made with meat, seafood, vegetables, etc.	杂样煎饼	
かいてんずし（回転ずし）	conveyor-belt sushi	回转寿司	
さいこう（最高）	best	最棒	
きろく（記録）	record	记录	
やきにく（焼き肉）	grilled/broiled meat	烤肉	
たべほうだい（食べ放題）	all you can eat	自助餐、吃到饱	

| おしゃべりします | chat | 聊天 |

覚えたいことば

```
┌─────────────────────────────────────────────────────────────┐
│                                                             │
│                                                             │
│                                                             │
│                                                             │
└─────────────────────────────────────────────────────────────┘
```

●ユニット2

	英語訳	中国語訳	(　　　　)語訳

読みましょう1

ちゅうかがゆ(中華粥)	Chinese porridge	粥(菜粥、肉粥等)	
どうりょう(同僚)	colleague	同事	
おしゃべりします	chat	聊天	
うどん	udon noodles	乌冬	
つゆ	thick soup	佐料汤	
かけうどん	udon noodles in broth	清汤面	
おばさん	middle-aged woman	阿姨	
えび	shrimp	虾	
しちみ(七味)	blend of seven spices	七味调料	
かけます	sprinkle	撒上	
しみこみます(しみ込みます)	soak in	渗进	

読みましょう2

なります(鳴ります)	sound, ring	响	
おきなきゃ(起きなきゃ)	must get up	得起来啦	
みそしる(みそ汁)	miso soup	大酱汤	
にもの(煮物)	food boiled and seasoned	煮菜	
あたためます(温めます)	warm/heat up	热(菜等)	
おこします(起こします)	wake (someone) up	叫醒	
めだまやき(目玉焼き)	egg sunny-side up	煎荷包蛋	
たまごやき(卵焼き)	omelet	煎鸡蛋	

だまります(黙ります)	be silent	默默、不说话
ごうか[な](豪華[な])	deluxe	丰盛
メニュー	menu	菜单
ほします(干します)	hang out to dry	晾
〜のじゅんに(〜の順に)	in 〜 order	按〜顺序

読みましょう3

どんぶり	bowl-of-rice dishes	大碗盖浇饭
シリアル	cereal	麦片
ハンバーガー	hamburger	汉堡包
ピザ	pizza	比萨饼
スパゲッティー	spaghetti	意大利面条
やきとり(焼き鳥)	chicken grilled on a bamboo skewer	烤鸡肉串
ラーメン	Chinese noodles in soup	拉面
おやこどん(親子どん)	chicken and egg on rice	鸡肉鸡蛋盖饭
カツどん	pork cutlet on rice	猪排盖浇饭
かいせんどん(海鮮どん)	sashimi on rice	海鲜盖浇饭
てんどん(天どん)	fried seafood and vegetables on rice	天妇罗盖浇饭
しゅるい(種類)	kind, sort, variety	种类
すいはんき(炊飯器)	rice cooker	电饭煲
フェイスブック	Facebook	脸书
のせます(載せます)	post	登载
さっそく	immediately	马上
じしん(自信)	confidence	自信
タコス	taco	墨西哥炸玉米粉卷
ぐ(具)	filling	馅儿(肉、菜)

書きましょう2

しょくせいかつ(食生活)	eating habits	饮食生活

覚えたいことば

● ユニット3　　　　　英語訳　　　　　　　中国語訳　　　　　（　　　）語訳

読みましょう1

あんパン	bean-paste bun	加馅面包
あん	bean paste	馅（豆沙等）
かいてんまえ（開店前）	before opening of a store	开始营业之前
ふるさと（故郷）	hometown	故乡
ショーケース	showcase	陈列橱窗
トレイ	tray	托盘
うれのこります（売れ残ります）	remain unsold	卖剩下
ところ	point	处、地方

読みましょう2

にんじゃ（忍者）	ninja	忍者（日本古代使用忍术的密探）
さんじょう（参上）	visitation	造访
こっとうひん（骨董品）	antique	古玩
とうき（陶器）	earthenware, pottery	陶器
おく（奥）	the back	里头
どれも	everything	哪一个都～
とおりすぎます（通り過ぎます）	pass	走过、通过
しゅりけん（手裏剣）	ninja star, throwing star	撒手剑、飞刀
さびます	rust	生锈
ほんもの（本物）	real/genuine thing	真货
きになります（気になります）	be curious	有心想要

新しいことば　ユニット3

にやにやします	grin, smirk	独自发笑
たからもの（宝物）	treasure	宝物

読みましょう3

じょせい（女性）	female, woman	女性
だんせい（男性）	male, man	男性
スニーカー	sneaker	运动鞋
ほんとうは	actually	实际上
イメージ	image	想象的样子
ドレス	dress	连衣裙式礼服
ヒール	heel	鞋后跟
セール	sale	减价销售、大甩卖
ちゅうもんします（注文します）	order	订
きつい	tight	（号码）紧、小
すると	and, then	于是
ぴったり	just right	正合适

覚えたいことば

●ユニット4　　　英語訳　　　中国語訳　　　（　　　）語訳

ジェスチャー	gesture	手势

読みましょう1

ゆび（指）	finger	指头
つうじます（通じます）	be understood	相通
だから	therefore	因此
おおげさ［な］（大げさ［な］）	exaggerated	夸张
かた（肩）	shoulder	肩膀

ぽんとたたきます	tap	轻轻拍肩
ふれます（触れます）	touch	碰
また	and	另外
ひとさしゆび（人さし指）	forefinger	食指
さします（指します）	point	指
かず（数）	number	数字
あらわします（表します）	show	表示

読みましょう2

くさい（臭い）	smelly	有味儿、臭
すると	and, then	于是
ふります（振ります）	wave	摆（手）
しつれい［な］（失礼［な］）	impolite	失礼
はブラシ（歯ブラシ）	toothbrush	牙刷
〜のかわりに（〜の代わりに）	instead of 〜	取代〜
ガスコンロ	gas cooking stove	煤气炉
めだまやき（目玉焼き）	egg sunny-side up	煎荷包蛋
こげます（焦げます）	burn	烧糊

読みましょう3

まねきねこ（招き猫）	beckoning cat	招手猫（吉祥物）
いざかや（居酒屋）	Japanese-style pub/bar	小酒馆
とりのからあげ（とりのから揚げ）	deep fried chicken	炸鸡块
ちゅうもんします（注文します）	order	订
オヤジさん	old boy (term of affection or friendliness for the master of a local bar or restaurant)	掌柜的
おしゃべりします	chat	聊天
ほら	Look!	喂、瞧
まえあし（前足）	front paw	前脚
てまねきします（手招きします）	beckon	招手（让对方过来）

日本語	英語訳	中国語訳
てのひら（手のひら）	palm	手掌
むけます（向けます）	aim, turn	向
むき（向き）	direction	朝向
はんたい（反対）	opposite	相反
ざんねんながら（残念ながら）	unfortunately	遺憾

覚えたいことば

●ユニット5

	英語訳	中国語訳	（　　）語訳

読みましょう1

日本語	英語訳	中国語訳
ふるさと（故郷）	hometown	故乡
コントラスト	contrast	对比
かんこうきゃく（観光客）	tourist	游客
はずかしがりや（恥ずかしがり屋）	shy	怕羞的人
きり（霧）	fog	雾
かくれます（隠れます）	hide	躲藏
とびます（飛びます）	fly	飞
おすすめ	recommendation	推荐
ほどう（歩道）	path	人行道
ぜっぺき（絶壁）	cliff	绝壁
ビーチ	beach	海滨
かんじます（感じます）	feel	感觉

読みましょう2

日本語	英語訳	中国語訳
しょうねんじだい（少年時代）	boyhood	少年时代

－ねんぶりに（一年ぶりに）	after － years	相隔－
はたけ(畑)	field	旱田
すっかり	completely	完全
おもいで(思い出)	memory	回忆
おたまじゃくし	tadpole	蝌蚪
とります(捕ります)	catch	捕捞
すべて	all	所有，全部
きおく(記憶)	memory	记忆
とびおります(飛び降ります)	jump down	跳下来
いしがき(石垣)	stone wall	石头墙
ひろば(広場)	open space	广场
－しゅう(一周)	－ circuit	－周
むねがいっぱいになります(胸がいっぱいになります)	get a lump in one's throat	激动不已
せみ	cicada	知了

読みましょう3

ぶたい(舞台)	platform	舞台
ことわざ	proverb	谚语
おもいきって(思い切って)	bravely	下决心
けつだん(決断)	decision, determination	决断
さかみち(坂道)	slope	上坡路
りょうがわ(両側)	both sides	两边
せんす(扇子)	folding fan	扇子
かたな(刀)	sword	刀
とおく(遠く)	far, remote place	远处
きがします(気がします)	feel like	觉得
まっちゃ(抹茶)	powdered green tea	抹茶
つけもの(漬物)	pickles	酱菜、咸菜

覚えたいことば

●ユニット6

	英語訳	中国語訳	(　　　)語訳
くらします（暮らします）	live	生活、过	

読みましょう1

カナリア	canary	金丝雀	
かけます	play	放（CD）	
とつぜん（突然）	suddenly	突然	
うたいはじめます（歌い始めます）	begin to sing	开始唱起来	
えんそう（演奏）	musical performance	演奏	
うっとりします	be enchanted	陶醉于	
ロックおんがく（ロック音楽）	rock music	摇滚乐	

読みましょう2

ピンポーン	ding-dong	丁冬	
ワンワンワン	bow-wow	汪汪汪	
かわいがります	treat with affection	疼爱	
ピンク	pink	粉红色	
Tシャツ（ティーシャツ）	T-shirt	T恤衫	
まあ	so-so	不错	
おどろきます（驚きます）	be surprised	吃惊	
おいかけます（追いかけます）	chase	追赶	
すると	and, then	于是	
かくれます（隠れます）	hide	躲藏	

だっこします (抱っこします)	hold/carry 〜 in one's arms	抱

読みましょう3

おもいで(思い出)	memory	回忆
ひよこ	chick	小鸡
うみます(産みます)	lay	生
ゆでたまご(ゆで卵)	boiled egg	煮鸡蛋
100えんだま(100円玉)	100-yen coin	一百元硬币
ばか[な]	stupid	笨
ふるえます(震えます)	tremble	颤抖
なまえをつけます (名前をつけます)	name	起名字
はね(羽)	feather, wing	羽毛
あと(後)	behind	身后
オス	cockerel, male	公的
とつぜん(突然)	suddenly	突然
コケコッコー	cock-a-doodle-doo	喔喔啼
なきます(鳴きます)	crow	叫
ほら	There you are!	喂、瞧

覚えたいことば

●ユニット7	英語訳	中国語訳	( )語訳

読みましょう1

かいしょうほう (解消法)	how to reduce/release	解除方法
たまります	accumulate	积存
かんばん(看板)	advertising display/sign	招牌
にこにこ	smiling	微笑

あかるい(明るい)	cheerful, merry	开朗、好
おしゃべりします	chat	聊天
バーゲン	sale	减价销售、大甩卖

読みましょう2

かわり(代わり)	substitute	代替
こんかい(今回)	this time	这次
つかれがでます(疲れが出ます)	be tired	累了
－ど(一度)	－ degree (centigrade)	－度
ほうこく(報告)	report	汇报
マスク	mask	口罩
どうりょう(同僚)	colleague	同事
そうたいします(早退します)	leave (work or school) earlier than usual	早退
くるしい(苦しい)	painful	难受
スープ	soup	汤
～にとって	for/to ～	对～来说

読みましょう3

～ほう(～法)	how to ～, way of -ing	～方法
ヨーグルト	yogurt	酸奶
にんじん	carrot	胡萝卜
セロリ	celery	芹菜
しゅるい(種類)	kind, sort, variety	种类
びよう(美容)	beauty	美容
よろこびます(喜びます)	be glad, be pleased	高兴
たけ(竹)	bamboo	竹子
たてに(縦に)	lengthwise	竖着
わります(割ります)	break, split	劈
あしぶみ(足踏み)	stepping	踩
ことわります(断ります)	decline	拒绝
ラーメン	Chinese noodles in soup	拉面
ポテトチップス	potato chips	土豆片

かんぞう(肝臓)	liver	肝脏
カロリー	calorie	卡洛里

覚えたいことば

●ユニット8　　　英語訳　　　中国語訳　　　(　　)語訳

読みましょう1

マスク	mask	口罩
かんごし(看護師)	nurse	护士
くしゃみ	sneeze	喷嚏
はなみず(鼻水)	runny nose	鼻涕
すると	and, then	于是
かふんしょう(花粉症)	pollen allergy	花粉症
いき(息)	breath	呼吸
くるしい(苦しい)	hard, painful	难受(喘不过气来)
りゆう(理由)	reason	理由

読みましょう2

むしあつい(蒸し暑い)	hot and humid	闷热
がまんします(我慢します)	endure	忍耐
せんぷうき(扇風機)	electric fan	电风扇
ベランダ	balcony, veranda	阳台
あさがお(朝顔)	morning glory	牵牛花
くふう(工夫)	device	找窍门，想办法
そういえば	that reminds me	这样说起来
ゴーヤ	bitter gourd	苦瓜
すだれ	bamboo blind	竹帘
つるします	hang	挂

ほれいざい(保冷剤)	cold compresses	保冷剤
くび(首)	neck	脖子
まきます(巻きます)	wrap 〜 around	巻
すいか	watermelon	西瓜
さいこう(最高)	best	最棒
いや	no	不

読みましょう3

ナムル	Korean seasoned vegetables	朝鮮涼拌小菜
とけます(解けます)	melt	融化
のはら(野原)	field	原野
さんさい(山菜)	edible wild plants	野菜
めをだします(芽を出します)	put forth buds	发芽
ヨモギ	mugwort	艾蒿
ノビル	wild rocambole	小根蒜
セリ	Japanese parsley	水芹
おかゆ	porridge	粥
しる(汁)	soup	汤
いちば(市場)	market	市場
つみます(摘みます)	pick	摘
おもち(お餅)	rice cake	年糕
なつかしい(懐かしい)	bring back memories	怀念

書きましょう2

おもいで(思い出)	memory	回忆

覚えたいことば

●ユニット9

	英語訳	中国語訳	(　　　)語訳

読みましょう1

おにぎり	rice ball	饭团
まきます(巻きます)	wrap ～ around	卷
ひとくち(一口)	a bite	一口
すっぱい(酸っぱい)	sour	酸
うめぼし(梅干し)	pickled plum	梅干
やきそば(焼きそば)	stir-fried noodles	炒面
かみのけ(髪の毛)	hair	头发
めん(麺)	noodles	面条
はさみます(挟みます)	sandwich	挟
いがい[な](意外[な])	unexpected	意外
ルウ	roux	黄油面酱

読みましょう2

たべあるき(食べ歩き)	trying out the food at various restaurants	尝遍各地名菜
うなじゅう(うな重)	grilled eel on rice	鳗鱼盖浇饭
うなぎ	eel	鳗鱼
たれ	sauce	佐料汁
しみます	soak into	渗进
しょくどう(食堂)	restaurant	食堂
メニュー	menu	菜单
かいせんどん(海鮮どん)	sashimi on rice	海鲜盖浇饭
とれます	be caught	捕获
えび	shrimp	虾
いか	cuttlefish	乌贼、鱿鱼
サーモン	salmon	鲑鱼
ほうせき(宝石)	jewel	宝石
イクラ	salmon roe	鲑鱼子
どんぶり	bowl	大碗
こぼれおちます(こぼれ落ちます)	overflow	洒落

まっちゃ（抹茶）	powdered green tea	抹茶
ソフトクリーム（ソフトクリーム）	soft-served ice cream	软雪糕
おこのみやき（お好み焼き）	pancake made with meat, seafood, vegetables, etc.	杂样煎饼
いかたま（いか玉）	savory pancake with squid and vegetables	鱿鱼杂样煎饼（日本的一种小吃）
さいこう（最高）	best	最棒
こうべぎゅう（神戸牛）	Kobe beef	神户牛
ステーキ	steak	烤肉块
ちゅうもんします（注文します）	order	订
たいじゅう（体重）	one's weight	体重

読みましょう3

たこやき（たこ焼き）	octopus dumpling	章鱼小丸子
たこ	octopus	章鱼
ねぎ	Welsh onion	大葱
しょうが	ginger	姜
かつおぶし	dried bonito shavings	干制鲣鱼
こな（粉）	flour	粉
ときます（溶きます）	dissolve	溶解
たね	ingredients	（菜的）配料
たこやきき（たこ焼き器）	takoyaki maker	做章鱼小丸子的用具
あぶら（油）	oil	油
まるい（丸い）	round	圆
あな（穴）	hole	孔
しばらくしてから	after a while	过了一会儿
たけぐし（竹ぐし）	bamboo skewer	竹签子
ひっくりかえします（ひっくり返します）	turn ~ over	翻过来
かけます	pour, sprinkle	撒上
ピンポンだま（ピンポン玉）	ping-pong ball	乒乓球
～みたい	like ～	好像～

日本語	英語訳	中国語訳
よびます（呼びます）	invite	叫
じゅんばん（順番）	order	順序

書きましょう2

かんそう（感想）	impression	感想

覚えたいことば

●ユニット10　　英語訳　　中国語訳　　（　　　）語訳

読みましょう1

びじん（美人）	beautiful woman	美人
たとえば（例えば）	for example	例如
ーリットル	－ liter	－升
5ぶんの1（5分の1）	one fifth	五分之一
〜みたい	like 〜	好像〜
きにします（気にします）	mind, care, worry	介意
しゅじんこう（主人公）	hero, heroine	主人公
のびます（伸びます）	grow	长长
かた（肩）	shoulder	肩膀
のばします（伸ばします）	let grow	留长（头发）

読みましょう2

ーパック	－ pack	－盒
おりこみ（折り込み）	inserted	折叠后夹入的
チラシ	leaflet	广告单
さけびます（叫びます）	cry, shout	叫
チェックします	check	查看
〜ひ（〜費）	〜 expense	〜费

日本語	英語訳	中国語訳
だから	therefore	因此
オープンします	open	开张
おひとりさま１パック（お１人様１パック）	1 pack per person	一人一盒
～かぎり（～限り）	limited ～	限～
ラッキー［な］	lucky	幸运
おうふく（往復）	round trip	往返

読みましょう3

日本語	英語訳	中国語訳
ーど（一度）	－ degree (centigrade)	－度
へんか（変化）	change	变化
しみん（市民）	citizen	市民
イベント	event	活动
ひさしぶりに（久しぶりに）	after a long time	好久
なまの（生の）	live	现场的
さどう（茶道）	tea ceremony	茶道
たいけん（体験）	experience	体验
おまんじゅう	steamed bean-paste bun	馒头（日本的小点心）
ひとくちで（一口で）	at one bite	一口

書きましょう2

日本語	英語訳	中国語訳
しゅうにゅう（収入）	income	收入

覚えたいことば

●ユニット**11**　　英語訳　　中国語訳　　（　　　）語訳

読みましょう1

日本語	英語訳	中国語訳
ファン	fan	粉丝
プロやきゅう（プロ野球）	professional baseball	职业棒球

ひろしまとうようカープ(広島東洋カープ)	name of a baseball team	日本棒球队
やきゅうじょう(野球場)	baseball ground	棒球场
おうえんします(応援します)	cheer	声援
えだまめ(枝豆)	green soybeans	毛豆
メガホン	megaphone	喇叭筒
きぶん(気分)	feeling	心情
はんしんタイガース(阪神タイガース)	name of a baseball team	日本棒球队
－たい－(－対－)	－ to －	－比－
うちます(打ちます)	hit, strike	打(球)
ぎゃくてんします(逆転します)	turn (the game) around	逆转、比分反超

読みましょう2

どて(土手)	bank	堤防
かわら(河原)	riverside	河滩
グラウンド	ground	运动场
ふります(振ります)	wave	招手
すると	and, then	于是
けります(蹴ります)	kick	踢
さけびます(叫びます)	shout	叫
シュート	shot	射门
ネット	net	网
ゴール	goal	射门得分
よろこびます(喜びます)	be glad, be pleased	高兴
ゲンキＦＣ	fictitious soccer team	虚构的足球队队名
はいります(入ります)	join	加入
まいしゅうまつ(毎週末)	every weekend	每周周末
さいこう(最高)	best	最棒

読みましょう3

サムライ	samurai, Japanese warrior	武士

し（市）	city	市
けんどうぶ（剣道部）	kendo club	剑道俱乐部（课外活动小组）
いれます（入れます）	allow (someone) join	加入
めん（面）	face guard	防护面具
きゅうくつ［な］（窮屈［な］）	tight	不舒畅
どうぎ（胴着）	padded undershirt	护胸
はかま	skirt-like formal Japanese trousers	和服裙裤
めん！（めーん！）（面！）	shout when hitting the opponent	面（剑道剑击对方时发出的喊声）
しない（竹刀）	bamboo sword	竹剑
ふります（振ります）	swing	挥舞
1たい1（1対1）	man-on-man	1比1
うちます（打ちます）	hit	打
かちまけ（勝ち負け）	win and lose	输赢
はっきりします	become clear	明确
バシッ	bang	啪（竹剑相碰发出的声音）
しびれます	numb	发麻

覚えたいことば

●ユニット12　　英語訳　　中国語訳　　（　　）語訳

読みましょう1

まねます	copy	模仿
とうじょうします（登場します）	appear in	登场
がくえんラブコメディー（学園ラブコメディー）	campus romantic comedy	学园爱情喜剧作品

〜ぶり	after 〜	相隔〜

読みましょう2

ピカピカ	shiny	锃亮
てんちょう(店長)	store manager	店长
くさい(臭い)	smelly, stinking	臭味
いいかげん[な]	irresponsible, careless	马马虎虎
べんき(便器)	toilet bowl	马桶
せんめんじょ(洗面所)	washroom, lavatory	盥洗室
ふんいき(雰囲気)	atmosphere	气氛
よろこびます(喜びます)	be glad, be pleased	高兴
トイレットペーパー	toilet paper	手纸
はし(端)	end	头上、顶端
さんかく(三角)	triangle	三角

読みましょう3

しんまい(新米)	newcomer, novice	新手
さいよう(採用)	employment	录用
もぎ(模擬)	trial, mock	模拟
しょきゅう(初級)	beginner's (class)	初级
くちぐせ(口癖)	favorite phrase	口头禅
だい〜(大〜)	great 〜	非常〜

覚えたいことば

●ユニット**13**	英語訳	中国語訳	(　　　　)語訳
にほんいち(日本一)	best in Japan	全日本第一	

読みましょう1

たんぼ(田んぼ)	rice field	水田

ゆたか[な]（豊か[な]）	abundant	丰富
ぶつだん（仏壇）	family Buddhist altar	佛坛
まもります（守ります）	protect	保护
だから	therefore	所以
はいってきます（入って来ます）	come in, enter	进来
いきもの（生き物）	living thing, creature	有生命的东西
クモ	spider	蜘蛛
ムカデ	centipede	蜈蚣
ころします（殺します）	kill	杀
おぼん（お盆）	Bon Festival	盂兰盆会

読みましょう２

ゆきぐに（雪国）	snowy region, snow country	雪国
かんごし（看護師）	nurse	护士
つもります（積もります）	accumulate, lie	积（雪）
こおります（凍ります）	freeze	结冰
なります（鳴ります）	ring, sound	响
かんごしちょう（看護師長）	chief nurse	护士长
どうりょう（同僚）	colleague	同事
かんじゃ（患者）	patient	患者
えがお（笑顔）	smile	笑脸
こころ（心）	heart	主意

読みましょう３

いちばん	best	第一
ふるさと（故郷）	hometown	故乡
のんびりした	relaxing	自由自在的
Ｔシャツ（ティーシャツ）	T-shirt	T恤衫
ところ	point	处、地方
よいち（夜市）	night market	夜市
ひるね（昼寝）	nap	午觉
りょうがわ（両側）	both sides	两边

やたい(屋台)	stand, stall	流动货摊
あげます(揚げます)	fry	炸
しゅうどうふ(臭豆腐)	smelly tofu	臭豆腐
だから	therefore	因此
リフレッシュします	refresh	恢复精神

覚えたいことば

●ユニット14

英語訳　　　中国語訳　　　(　　　)語訳

読みましょう1

ツイッター	Twitter	推特
ゆうめいじん(有名人)	celebrity, famous person	有名人
フォローします	follow	跟进
つぶやき	tweets	消息
コミュニケーションします	communicate	交流
なかま(仲間)	friend, colleague	伙伴
きがる[な](気軽[な])	without reserve, casual	轻松
いちじ(一時)	intermittent	一时
へんしん(返信)	reply mail	回信
(笑)	smile	笑

書きましょう1

フェイスブック	Facebook	脸书
ところ	point	处、地方

読みましょう2

スマホ	smartphone	智能手机
すると	and, then	于是
なります(鳴ります)	sound, ring	响

日本語	英語訳	中国語訳
あおくなります（青くなります）	turn pale	（因担心或害怕）脸变白了
がめん（画面）	screen	画面
アプリ	application	应用程序
でます（出ます）	appear	显示
いち（位置）	location	位置
しめします（示します）	show	显示
せんろ（線路）	railway track/line	线路
ぶじ［な］（無事［な］）	safe, all right	顺顺当当
くび（首）	neck	脖子
ぶらさげます（ぶら下げます）	dangle, hang	挂

読みましょう3

日本語	英語訳	中国語訳
ながいきします（長生きします）	live long	长寿
まだまだ	long way to go	还
かおもじ（顔文字）	emoticon	表情符号
とおく（遠く）	far, remote place	远处

覚えたいことば

●ユニット15　英語訳　　中国語訳　　（　　）語訳

読みましょう1

日本語	英語訳	中国語訳
はつこい（初恋）	first love	初恋
こいをします（恋をします）	love	恋爱
クラブ	club	俱乐部（课外活动小组）
せんぱい（先輩）	one's senior	师兄（姐）
エプロン	apron	围裙

もてます	be popular	受欢迎，有人缘
ばったり	unexpectedly	意外相遇状
にあいます（似合います）	suit	相配
ひさしぶり。（久しぶり。）	It's been a long time [since we last met].	好久不见。
むねがドキドキします（胸がドキドキします）	heart beat fast	心扑通扑通直跳
グーグーねます（グーグー寝ます）	be fast asleep	呼呼大睡
ゴロゴロします	loll around	闲着无事

書きましょう1

おもいで（思い出）	memory	回忆

読みましょう2

えんきょりれんあい（遠距離恋愛）	long-distance love	两地恋爱
リーダーシップ	leadership	领导才能
つきあいます（付き合います）	be in a relationship	相处
ショック	shock	打击
なやみます（悩みます）	worry, suffer	烦恼
はげまします（励まします）	encourage, cheer up	鼓励
まよいます（迷います）	waver, be undecided	犹豫不定
はなれます（離れます）	be apart	分开
こころ（心）	heart	主意
きまります（決まります）	be decided	决定、定下来

読みましょう3

じだい（時代）	days	时代
むくち[な]（無口[な]）	reticent, quiet	不爱讲话
しゃべります	chat	聊天
のみかい（飲み会）	drinking party	聚餐
ヤツ	guy	家伙
もんくばかり（文句ばかり）	only complaining	老发牢骚
ところが	but	可是

ひさしぶりに(久しぶりに)	after a long time	好久	
かてい(家庭)	home	家庭	

書きましょう2

じこしょうかい(自己紹介)	self-introduction	自我介绍	
おくります(贈ります)	present	赠送	

覚えたいことば

●ユニット16　　英語訳　　中国語訳　　(　　)語訳

読みましょう1

つらい	hard, tough	难熬	
こもりうた(子守歌)	lullaby	摇篮曲	
がまんします(我慢します)	endure	忍耐	
おとをたてます(音をたてます)	make a noise	发出声响	
てんじょう(天井)	ceiling	天花板	
ゆれます(揺れます)	swing	摇晃	
のぞきます	look out	窥视	

読みましょう2

きえます(消えます)	disappear	消失	
あせ(汗)	sweat	汗	
こたつ	table over a heater with a frame and coverlet	被炉	
なんども(何度も)	many times	多次、好几次	
おります(下ります)	go down	下	
なんとか(何とか)	barely	设法	
さいごに(最後に)	at the end	最后	

いちだんいちだん(一段一段)	one step at a time	一台阶一台阶地	
しゅうしゅうしゃ(収集車)	collection vehicle	回收(垃圾的)车	
せんぱい(先輩)	one's senior	师兄(姐)	
あちこち	from place to place	到处	
とうとう	finally	终究	

読みましょう3

かご	basket	筐子
はしります(走ります)	ride (a bycycle)	(骑着车)跑
スピード	speed	速度
ガチャーン	clang	砰(碰撞时发出的声音)
じめん(地面)	ground	地面
なげだされます(投げ出されます)	be thrown	被甩出去
ひざ(膝)	knee	膝盖
おこします(起こします)	lift up	扶起来
たちあがります(立ち上がります)	stand up	站起来
そのあいだ(その間)	all that time	那期间
サイクリング	cycling	自行车旅行

覚えたいことば

●ユニット17

	英語訳	中国語訳	(　　　)語訳
わっしょい	call of encouragement when carrying a portable shrine	嘿哟(抬神轿的人的吆喝声)	

読みましょう1

カトリック	Catholic	天主教

パレード	parade	游行
むすめたち(娘たち)	girls	姑娘们
しんせき(親戚)	relative	亲戚
ごちそう	feast	美味
ぶたのまるやき(豚の丸焼き)	whole roast pig	烤全猪
まえのひ(前の日)	previous day	前一天
ちゅうもんします(注文します)	order	订
たけ(竹)	bamboo	竹子
あぶら(油)	oil	油
ぬります(塗ります)	smear	涂
さき(先)	end, top	尖
ぶらさげます(ぶら下げます)	hang	挂
きょうそう(競争)	competition	比赛
おうえんします(応援します)	cheer	声援

書きましょう1

ところ	point	处、地方

読みましょう2

やきそば(焼きそば)	Chinese stir-fried noodles	炒面
だします(出します)	open	开(业)
めん(麺)	noodle	面条
キャベツ	cabbage	洋白菜
てっぱん(鉄板)	iron plate	铁板
コーチ	coach	教练
くび(首)	neck	脖子
いためます	stir-fry	炒
こしょう	pepper	胡椒
ふります	sprinkle	撒上
かけます	pour	倒上
ジューッ	sizzle	嚓(拟声词。在热锅上倒上液体时发出的声音)

かけます	play	放（音乐）
サンバ	samba	桑巴舞曲
いらっしゃい！	Step right up!	来啊，来啊！
じゅんばん（順番）	order	顺序

読みましょう3

おもいで（思い出）	memory	回忆
かみさま（神様）	god	神
ぎょうじ（行事）	event	庆典活动
ちょうちん	lantern	灯笼
きんぎょすくい（金魚すくい）	goldfish scooping	捞金鱼
わたがし（綿菓子）	cotton candy, candy floss	棉花糖
たいこ（太鼓）	drum	鼓
ゆかた（浴衣）	informal summer kimono	浴衣
どうきゅうせい（同級生）	classmate	同年级学生
おとなっぽい（大人っぽい）	adult-like	像大人
ひさしぶり。（久しぶり。）	It's been a long time [since we last met].	好久不见。
ドーン	boom	咚（拟声词、放烟花的声音）
あがります	be displayed	放（烟花）
つぎつぎに（次々に）	one after another	不断地
だまります（黙ります）	be silent	不讲话

覚えたいことば

● ユニット *18*　　英語訳　　　　　中国語訳　　　　（　　　）語訳

読みましょう1

がめん（画面）	screen	画面

かし (歌詞)	words (of a song)	歌词
でます (出ます)	appear	显示
ひょうげん (表現)	expression	表现
テキスト	textbook	课本
ひとたち (人たち)	people	人们
なだそうそう	song title	歌曲名
てんちょう (店長)	store manager	店长
のどじまんたいかい (のど自慢大会)	singing contest	歌唱比赛大会
でます (出ます)	appear (on television)	上 (电视)

読みましょう2

セリフ	lines, dialogue	道白、台词
すまぬ。	I'm sorry.	对不起。
あさねぼうしたでござる。(朝寝坊したでござる。)	I overslept.	睡懒觉了。
あやまります (謝ります)	apologize	道歉
わたしもいまきたでござる。(わたしも今来たでござる。)	I've just come here now, too.	我也是刚来。
さむらい (侍)	samurai, Japanese warrior	武士
でてきます (出てきます)	appear	出现
もちろんでござる。	Yes, of course.	当然。

読みましょう3

おしゃべり	chat	聊天
おおや (大家)	landlord, landlady	房东
おおきに	Thank you.	谢谢
ああ、そうか！	Oh, I see.	噢，是这样啊！
ぱっと	suddenly (getting bright)	一下子
なるほど	I see.	原来如此
きにします (気にします)	mind, care, worry	介意

覚えたいことば

●ユニット 19	英語訳	中国語訳	（　　　）語訳
おんな（女）	woman	女的	
おとこ（男）	man	男的	
やくわり（役割）	part, role	（分配的）任务、（担当的）角色	

読みましょう1

とくい[な]（得意[な]）	be good at	拿手	
そうじきをかけます（掃除機をかけます）	vacuum	用吸尘器打扫	
ゆか（床）	floor	地板	
ピカピカ	shiny	锃亮	
うらやましい	envious	羡慕	
うちの	my	我家的	
かじ（家事）	housework	家务	
ダイエットきぐ（ダイエット器具）	exercise machine	减肥器械	
もんく（文句）	complaint	抱怨	
こんどこそ（今度こそ）	even now	这次一定	

読みましょう2

じょせい（女性）	female, woman	女性	
だんせい（男性）	male, man	男性	
ひとりぐらし（一人暮らし）	living alone	单身生活	
スタッフ	staff	职员	
だんボールばこ（段ボール箱）	cardboard box	纸箱	
てきぱきと	speedily	麻利地	

つみます（積みます）	load	装載
コツ	knack	窍门
こし（腰）	lower back	腰

読みましょう3

ほいくえん（保育園）	nursery school	保育员
あずけます（預けます）	leave	托给
いやがります（嫌がります）	be unwilling, dislike	不愿意
さいしょ（最初）	first	最初
ほいくし（保育士）	nursery school teacher	保育员
えがお（笑顔）	smile	笑脸
かたて（片手）	one arm	一只手
だきあげます（抱き上げます）	lift 〜 up in one's arms	抱起来
せみとり（せみ捕り）	cicada catching	捉知了
ーびき（一匹）	counter for insects	一只
とります（捕ります）	catch	捉
にんじゃごっこ（忍者ごっこ）	play ninjas	忍者游戏
とびおります（飛び降ります）	jump down	跳下来（去）
こころ（心）	heart	主意
せいちょうします（成長します）	grow up	成长

覚えたいことば

● **ユニット20**　　英語訳　　　　中国語訳　　　　（　　　　）語訳

へらします（減らします）	reduce	削减

読みましょう1

もったいない	wasteful	浪费
ほうそうし(包装紙)	wrapping paper	包装纸
かみぶくろ(紙袋)	paper bag	纸袋
てんいん(店員)	shop assistant	店员
〜よう(〜用)	for 〜	〜用
シート	sheet	薄纸
ビニールぶくろ(ビニール袋)	plastic bag	塑料袋
レジぶくろ(レジ袋)	plastic shopping bag	在收款台给顾客装商品的塑料袋。
ていねい[な](丁寧[な])	careful	有礼貌
かんしんします(感心します)	admire	佩服
どんどん	steadily	不断地
さいご(最後)	last	最后
じゅんじょ(順序)	order	顺序
ほうそう(包装)	wrapping, packing	包装

読みましょう2

うんどう(運動)	movement, campaign	运动
ちいき(地域)	area	地区
なくします	remove, eliminate	消除
もやします(燃やします)	burn	燃烧
わけます(分けます)	separate	分开
みぞ(溝)	gutter	沟
ペットボトル	PET bottle	塑料瓶
あきかん(空き缶)	empty can	空罐
すいがら(吸い殻)	cigarette butt/end	烟蒂
おじさん	Mister (used to address a middle-aged man)	叔叔
いっぱい	a lot	很多
あおぞら(青空)	blue sky	蓝天

読みましょう3

チューリップ	tulip	郁金香
おべんとうばこ（お弁当箱）	lunch box	饭盒
アルミ	aluminum	铝
ゆでたまご（ゆで卵）	boiled egg	煮鸡蛋
うさぎ	rabbit	兔子
たこのウインナ	Vienna sausage shaped like a octopus	做成章鱼形状的香肠
あいじょう（愛情）	love	爱情
つまります（詰まります）	be filled	充满
やがて	before long	不久、终于
キティちゃん	character's name	凯蒂猫
よろこびます（喜びます）	be glad, be pleased	高兴
から（空）	empty	空
えがお（笑顔）	smile	笑脸

書きましょう2

おもいで（思い出）	memory	回忆

覚えたいことば

2.
「ユニット1〜20」の活動の手引き

ユニット1　はじめまして

読みましょう1　「天国」という意味です
読むまえに
- インドネシア人のスルガさんが自分の名前の意味について語った文章であることを言っておきます。
- 「天国」の意味を別冊語彙訳で確認しておきます。

読むときのヒント
- 「私はとてもうれしくなりました」のところで、なぜスルガさんはうれしかったのか、どんな気持ちだったと思うか、学習者と話し合ってみましょう。
- 日本地図を用意して、静岡の位置とその近くに駿河湾があることを学習者に確かめてもらいましょう。

書きましょう1
- 名前に特に意味はない、あるいは、意味はわからないという学習者には、ニックネームや名付けた人のことなど、名前にまつわるエピソードを書くように言ってください。その場合はテキストの「という意味です」につながらなくてもいいです。

読みましょう2　風呂さん
読むまえに
- 次の2点について知っているか確認します。知らない場合は、簡単に説明しておいてください。
    ① 日本人の名前は「名字」と「名前」から成る。女性は結婚するとほとんどの場合名字が変わる。
    ② 「はんこ屋」でほとんどの名字の印鑑が売られている。

読むときのヒント
- 温子さんが「風呂？　風呂さん？」と聞き返したのはどうしてか、「風呂」という名前を聞いたとき、温子さんはどう思ったか、話し合いましょう。
- 「お母さん、私、絶対、平凡な名前の人と結婚する！」と言う娘に温子さんは何と答えたと思うか、ボランティア、学習者それぞれが温子さんになって言ってみましょう。
- 「風呂温子」という名字と名前の組み合わせのおもしろさに気づく学習者がいれば、温子さんが名刺を渡すときどのように自己紹介するか考えて学習者にやってもらうと楽しいでしょう。

読みましょう3　好きなもの、好きなこと
読むまえに
- 「回転ずし」「食べ放題」を知らない学習者には、説明しておいてください。

読むときのヒント
- 速読するとき、ポールさんの趣味、好きなこと、好きなものが書かれている部分にアンダーラインを引きながら読むように言います。
- ポールさんが朝から何も食べなかったのはどうしてか、しばらく肉を見たくないのはどうしてだと思うか、聞いてみてください。
- 読み終わったら、この文章からポールさんはどんな人だと思うか自由に話しましょう。学習者から出なければ、「ちょっと怖がりだと思う」「食べ歩きをしてるから太っているかもしれない」など、ボランティアがまず例を示すといいでしょう。

書きましょう2
- 好きなことや好きなものを「趣味」「ほかの楽しみ」「日本語の勉強」の3つのトピックについて書きます。「日本語の勉強」で「好きなこと」が出にくい場合は、「駅の表示の漢字が読めて、うれしかった」とか「アニメのセリフがわかって、楽しい」など、うれしい、楽しいと思ったときのことを書いてもいいです。

ユニット2　いただきまーす

読みましょう1　朝ごはん、昼ごはん
読むまえに
- 文中に「中華粥、つゆ、てんぷらうどん、かけうどん、七味」が出てきます。学習者が知っているかどうか確認しておきます。知らなければ、写真などを見せるといいでしょう。

読むときのヒント
- 李さんの朝ごはんがいつもパンと紅茶なのはどうしてか聞いてみましょう。
- どうして食堂のおばさんが「きょうはてんぷらね」と言ったと思うか考えてもらいましょう。

書きましょう1
- 朝ごはんや昼ごはんを食べないという人がいたら、その理由を書いてもらいましょう。
- 料理名の片仮名表記がわからなければ、教えます。

読みましょう2　朝の2時間
読むまえに
- 日本の中学生・高校生の学校生活について話してあげてください。例えばお弁当が要るか要らないか、通学距離、始業時間などがわかると本文理解の助けとなるでしょう。
- 武田さんは中学生と高校生の子どもがいる主婦です。タイトルの「朝の2時間」から武田さんの朝の様子を想像してみましょう。

読むときのヒント
・「　　」の会話形式の文が続くので、だれが言ったことばか確認してください。
・家族は何人いるか聞いてください。
・「私の1日が始まる」とはどういうことか考えてもらいましょう。

📖 読みましょう3　どんどん、どんぶり

読むまえに
・「フェイスブック」「いいね！」を知らない学習者がいたら簡単に説明します。

読むときのヒント
・グレッグさんの日本での食生活の変化を、次のようなプリントを作って渡し、読み取らせます。

　　①物価が高いので＿＿＿＿＿＿＿＿＿＿＿＿＿＿＿＿＿＿＿＿＿＿＿＿＿
　　②仕事が忙しくなって＿＿＿＿＿＿＿＿＿＿＿＿＿＿＿＿＿＿＿＿＿＿
　　③友達の元太に＿＿＿＿＿＿＿＿＿＿＿＿＿＿＿＿＿＿＿＿＿＿＿＿＿
　　④簡単そうなので＿＿＿＿＿＿＿＿＿＿＿＿＿＿＿＿＿＿＿＿＿＿＿＿
　　⑤フェイスブックに載せたら＿＿＿＿＿＿＿＿＿＿＿＿＿＿＿＿＿＿

・グレッグさんはどんぶりのどんなところがいいと言っているか、聞いてみましょう。
・どうしてフェイスブックに載せたいと思ったか考えてもらいましょう。

✏️ 書きましょう2
・第1段落「日本へ来たばかりのころは」、第2段落「しばらく（して）」、第3段落「最近は」を冒頭に置けば、書きやすいでしょう。

ユニット3　ちょっと買い物に

📖 読みましょう1　ササキベーカリー

読むまえに
・学習者の国のパン屋と日本のパン屋で違うところがあるかどうか、聞いてみてください。

読むときのヒント
・6時になるとどうしてパンが安くなるか、袋のパンの中にあんパンはあると思うかどうか聞いてください。

✏️ 書きましょう1
・学習者がよく利用する身近な店について聞いてください。スーパーや市場など集合型の店でもいいです。外観や店内、店の人の様子、売っているもの、買い方などを書い

- てもらいましょう。
- (どのように利用していますか)はその店に行く頻度や、そこでよく買うもの、その店の上手な利用法などを書いてもらいます。
- テキストの「書きましょう1」は普通体ですが、丁寧体で書いてもかまいません。

📖 読みましょう2　忍者参上

読むまえに
- 「ユニット1　読みましょう3」を読んで、ポールさんがどんな人かイメージを持っておくと、より楽しく読むことができるでしょう。
- 忍者は日本でも海外でも映画やアニメで多く取り上げられて人気があります。知らない学習者には簡単に忍者や手裏剣について説明します。

読むときのヒント
- ポールさんがどんな人か想像しながら読みましょう。
- ポールさんの気持ちの変化や揺れを学習者といっしょに想像しながら読みましょう。店の前を通り過ぎていたとき、手裏剣が置いてあったとき、給料日までの間、本物だと言われたとき、買ってうちへ帰ったとき、同じ手裏剣が売られているのを見たときのそれぞれのポールさんの気持ちを話し合いましょう。
- ポールさんはどうして給料をもらった日に店に行ったと思うか聞いてください。
- ポールさんが買った手裏剣は本物だと思うか、自分ならその手裏剣を買うか、話し合いましょう。

📖 読みましょう3　赤い靴

読むまえに
- 学習者にネットショッピングをしたことがあるかどうか聞いておきます。ネットショッピングを知らない学習者には簡単に説明します。

読むときのヒント
- 速読するときに段落ごとに区切って話の展開を予測しながら読むように言います。次のような手順で質問をすると、予測を促すことができます。
    ① 第1段落（～足は入りません）を読む。このとき、次の段落は隠すなどして読まないようにする。以下も同様。
    質問：「ナターシャさんはどこで靴を買うと思いますか。」
    ② 第2段落（～失敗してしまいます）を読んで予測を確かめる。
    ③ 第3段落（～きつくて、入りませんでした）を読む。
    質問：「ナターシャさんはどうしたと思いますか。」
    ④ 最後まで読む。
    最後のオチも予測させるとおもしろいと思います。
- 友達の赤い靴を見たときのナターシャさんの気持ちについて聞いてみましょう。
- ナターシャさんにアドバイスできることがあったら、話してもらいましょう。

書きましょう2

- 「日本へ来てから買い物で困っていること」は「物価が高い」というような漠然としたことではなく、具体的に何について困っているかを聞きましょう。手に入りにくいもの、不便なこと、不満に思っていることなどを話してもらい、題材となるものを決めましょう。そして、それをどのように解決しているか、対処しているかを聞いてください。3段落目は具体的な経験を書いてもらいます。

ユニット4　ジェスチャーで伝えよう

読みましょう1　指の運動

読むまえに

- タイトルの「指の運動」は、本文の最後でジェスチャーの練習のことだとわかるので、読むまえに種明かししないでください。

読むときのヒント

- 速読するとき、まず最初の5行に繰り返し出てくることばを探すように言います。このとき、文章を読むのではなく、目を早く動かしてキーワードを見つけるように言ってください。そしてキーワード（ジェスチャー）から、何の話か予測してから読み始めます。
- 「相手の肩をぽんとたたく」は駅で電車を待っている友達を見つけて、後ろから肩をぽんとたたいて「おはよう」と声をかけるときや、仕事に集中している同僚の肩をたたいて「お先に」と声をかけるときのジェスチャーのことです。
- 「指の運動」とは何のことか聞いてください。
- 事前に調べておくか、教室に中国人学習者がいれば、その人に教えてもらうなどして、中国の「指で数を表す方法」を学習者とやってみると楽しいでしょう。また、学習者の国のやり方も聞いてみてください。

書きましょう1

- ジェスチャーをことばで説明するのは学習者にとって難しいかもしれません。その場合は、学習者にジェスチャーをやってもらって、ボランティア主導で書いてもかまいません。
- ジェスチャーに限らず、してはいけない動作やしぐさを書いてもかまいません。

読みましょう2　私は臭いですか

読むまえに

- 日本人の「顔の前で手を振るジェスチャー」の意味を知っているかどうか聞いてみます。知っていても知らなくてもここでは正解を与えず、そのジェスチャーについての話であることを言っておきます。

読むときのヒント

・3つに区切って速読をします。まず、最初の4行（「……買いに行きました。」まで）を読むように言い、グレッグさんが、いつ（5年前）、どこで（福井県）、どうしたか（風邪をひいて、薬屋へ薬を買いに行った）聞きます。
　次に、第1段落の最後「……教えてもらいました」まで読み、質問③の表のaに答えを書きます。そして「先月」から最後まで読み、表のbに答えを書きます。

・グレッグさんが5年でどう変わったか、聞いてみましょう。
　日本へ来たときはジェスチャーの意味がわからなかったけれど、今は日本人と同じジェスチャーを使うようになった（日本語が上手になった、日本の習慣に慣れてきた）ことを読み取ってもらいましょう。

・学習者、ボランティアともに、この文章の中でおもしろいと思ったところ（複数可）に線を引いてください。そしてお互いにどうしてそこがおもしろいと思ったか、話しましょう。

読みましょう3　招き猫

読むまえに

・テキストのイラスト、または写真などで「招き猫」を紹介（外見だけ）しておきます。また、居酒屋についても写真などを見せて雰囲気を伝えておくと、本文の理解の助けになります。

読むときのヒント

・グレッグさんは大黒屋によく行っていると思うか、店のオヤジさんと親しいと思うか、聞いてみてください。行きつけの店で顔なじみのオヤジさんと話しながら飲んでいる雰囲気を学習者に伝えましょう。

・オヤジさんがしたジェスチャー、グレッグさんがやって見せたジェスチャーを実際に学習者にやってもらってください。

・読んだあとで、右の前足を上げた招き猫と、左の前足を上げた招き猫のどちらが欲しいか、学習者と話すのも楽しいでしょう。

書きましょう2

・「意味がわからなかった日本人のジェスチャー」がすぐに思い浮かばなかったら、ボランティアがいくつか実演して、その中からトピックを選んでもらうといいでしょう。

ユニット5　旅行大好き

読みましょう1　サンフランシスコ

読むまえに

・サンフランシスコの位置を地図で確認しておきましょう。

読むときのヒント
・ゴールデンゲートブリッジがどうして「恥ずかしがり屋」なのか、聞いてください。
・ゴールデンゲートブリッジの写真があれば、より楽しく読むことができるでしょう。なければ、風景を頭の中に描きながら読むようにアドバイスしましょう。

書きましょう1
・町／国の観光地はどんな所か、観光のポイントを書いてもらいます。何ができるか、いつ行ったらいいか、お土産、料理、料金などボランティアから質問してもいいでしょう。
・「おすすめの場所」は一般的な観光地ではなく、学習者だけ、あるいは現地の人のお気に入りの場所での楽しみ方を書いてもらいます。

読みましょう2　少年時代へ
読むまえに
・北川さんは50代のサラリーマンです。
・タイトルの「少年時代へ」からどんな旅行をするか想像してもらってください。

読むときのヒント
・北川さんの気持ちの揺れを想像してもらいましょう。近くに出張で行って故郷に行ってみたくなったとき、いろいろなものが変わってしまって驚いたとき、見慣れた川を見つけたとき、石垣に座っているときの気持ちはどうだったのか、また、現実の景色に重なって何が見えていたのか、聞いてください。
・北川さんは子どものときどんな少年だったか想像してもらいましょう。

読みましょう3　清水の舞台
読むまえに
・京都の場所を確認しておいてください。写真があるとイメージが膨らむでしょう。

読むときのヒント
・マリアさんは3千円のセーターを安いと思ったのか、高いと思ったのかを考えてもらいましょう。

書きましょう2
・日帰り旅行や長い旅行（学習者の国内、日本国内）、外国旅行など、どんな旅行でもいいです。楽しかったことやおもしろかったことなどを思い出して書いてもらいましょう。作文に写真や地図、絵などを載せると楽しいでしょう。

ユニット6　ペットと暮らす

読みましょう1　歌うカナリア

読むまえに
- 学習者がカナリアを知らなければ説明してください。カナリアは鮮やかな黄色の鳥で澄んだ美しい声で鳴きます。写真を用意するのもいいでしょう。

読むときのヒント
- 王さんがカナリアを飼ってみたいと思ったきっかけは何だったか、聞いてください。
- 王さんは、どんなところに感動したか、聞いてみましょう。
- 田中さんのカナリアがクラシック音楽が好きなのはどうしてだと思うか話し合ってみましょう。

書きましょう1
- ペンギン、コアラなど、実際には飼うのは難しい、あるいは無理だけれど、好きな動物を飼ってみたいという作文でもかまいません。

読みましょう2　チーちゃん

読むまえに
- ペットの洋服を売っているのを見たことがあるか、服を着ているペットを見かけたことがあるかどうか聞きましょう。

読むときのヒント
- 元太さんが心の中で思ったことが書いてある箇所に線を引いてもらいましょう。
- 元太さんは、チーちゃんに服を着せることについて、どう思っているか聞いてみましょう。
- チーちゃんはピンクのセーターが好きだと思うか聞いてみましょう。

読みましょう3　ピヨの思い出

読むまえに
- これは武田さんの子どものころの話で、40年ぐらい前の話だと言っておきます。
- ひよこが売られているのを見たことがあるか、聞いてみましょう。

読むときのヒント
- 次の場面の子どものころの武田さんの気持ちを想像してもらいましょう。
  - ひよこを買う決心をしたとき
  - お姉さんが、すぐ死んでしまうと言ったとき
  - ピヨがオスだとわかったとき

書きましょう2
- 学習者がペットを飼った経験がなければ、学習者からボランティアに「書きましょう2」の質問をしてもらいます。ボランティアは自分の経験、あるいは自分の知ってい

る話をして、その内容を作文に書いてもらいましょう。

ユニット7　お元気ですか

読みましょう1　ストレス、さようなら

読むまえに
- 日本語教室はいろいろな形態があると思いますが、パクさんの行っている教室は週1回、ボランティア1人と学習者2、3人がグループになって活動しています。

読むときのヒント
- パクさんは日本語教室のどんなところがいいと思っているか、話し合いましょう。

書きましょう1
- 気軽に話せるストレスならいいですが、学習者の中には深刻な悩みやストレスを抱えている人もいます。学習者がそのような内容を書いた場合は作文の取り扱いに十分配慮してください。

読みましょう2　あなたの代わり

読むまえに
- この読み物の話し手は2人です。夫の健治と妻のマリアのそれぞれの思いが語られています。

読むときのヒント
- 健治さんは会社へ行くときどんなことを考えていたと思うか聞いてみてください。
- 会社で健治さんの代わりはいたか聞いてください。
- 自分が健治さん、マリアさんのそれぞれの立場だったらどうするか話し合ってください。
- 「私にとって健治の代わりはいないから。」の文からマリアさんのどんな気持ちが表れているか聞いてみましょう。

読みましょう3　ちょっと健康法

読むまえに
- 今までやった健康法で続かなかった経験を話してもらいましょう。
- 本文に竹踏みの健康法が出てきますが、どのような道具を使うのかは、あとの質問に出てきますので、読むまえに説明しないようにしてください。

読むときのヒント
- どうしてスポーツクラブが続かなかったか考えてもらいましょう。
- スポーツクラブは続かなかった北川さんがどうして野菜ジュースと竹踏みの健康法は続けられるか理由を聞いてください。
- 竹踏みについて聞かれたら足裏マッサージの一つでゆっくり足踏みすると足の血行が

よくなることを説明してください。

📝 書きましょう2
- 「健康法」は何か特別なことというのではなく、普段努力していることや、ちょっと気をつけていること、やると元気が出ることなど簡単なことでもいいです。学習者から出なければ「階段を使う」「うがい・手洗いをする」などの例を挙げるといいでしょう。

ユニット8　春は桜　秋はもみじ

📖 読みましょう1　マスクの春

読むまえに
- 「マスクの春」という題で何を連想するか聞いてみましょう。
- 学習者にどんなときにマスクをするか聞いてみてください。
- 花粉症用のマスクは機能性の高いものがいろいろ売られています。何種類か準備して学習者に見せておくと、特に花粉症の経験のない学習者には本文理解の助けになるでしょう。

読むときのヒント
- マリアさんはどうして「日本人は春になると、医者や看護師になるのかな。」と笑ってしまったのか、聞いてみましょう。
- ブラジル人の友達が笑ったのはなぜか、聞いてみましょう。

📝 書きましょう1
- 初めて日本に来たときの季節や天気を思い出して、日本の第一印象を書いてもらいます。次に今、その季節をどう過ごしているか、天気や食べ物・イベントなどを書いてもらいます。

📖 読みましょう2　緑のカーテン

読むまえに
- 「緑のカーテン」というタイトルからどんなものを想像するか聞いてみましょう。

読むときのヒント
- 緑のカーテンとは、朝顔やゴーヤのようなつる性の植物を窓の外側に育てて作る自然のカーテンです。イラストをヒントに、緑のカーテンを作ると、どうして涼しくなるか、考えてもらいましょう。（日差しをさえぎるので室内が涼しくなる。葉から蒸発する水分が周りの温度を下げる。）
- 武田さんのうちへ行くまえと行ったあとで、マルテンさんは日本の夏についてどのように考え方が変わったと思うか、話し合ってみましょう。

📖 読みましょう3　春のナムル

読むまえに
- 「春のナムル」は春に採れる山菜のことです。山菜の絵や写真を準備しておくといいでしょう。山菜の個々の名前について説明する必要はありません。

読むときのヒント
- キムさんはソウルの3月を自然や食べ物、人との関わりを通して思い出しています。内容の理解だけでなく、自分の子どものころの思い出と関連付けて読むのもいいでしょう。作文を書くときのヒントになるかもしれません。
- 山菜摘み（山菜採り）の情景を思い浮かべながら読むように言いましょう。「やっと雪が解けて」「雪の中からいろいろな山菜が芽を出します」「雪が残っている野原」などの文から、周りはどんな色か、山菜の芽は何色か、空気は冷たいか、何が聞こえるかなど、学習者と話してみましょう。
- 季節ごとに山や森、野原などの自然の中で、「きのこ」や「木の実」や「野菜・果物」を採るという習慣は、昔から世界の各地で行われてきました。読んだあとで学習者の国にも同じような習慣があるかどうか聞いてみましょう。

✏️ 書きましょう2
- 季節はいくつあるか、日本より暑いか寒いかなど、日本と比較すると書きやすいでしょう。

ユニット9　何を食べようかな

📖 読みましょう1　おにぎり・パン・カレー

読むまえに
- コンビニのおにぎりを知らない人には、ごはんの中に具が入っていて、外から見ただけではどんな味かわからないこと、黒いのりで巻いてあるものが多いことを話しましょう。
- おにぎりの実物を準備しておくのもいいでしょう。

読むときのヒント
- 「髪の毛のような麺」という表現から、マリアさんが焼きそばパンを見たとき、どんな気持ちだったと思うか聞いてみましょう。
- 学習者がインドのカレーと日本のカレーの違いを知っているかどうか聞いてみましょう。知らなければ、作り方（ルウを使うかどうか）だけでなく、見た目（どろどろか、さらさらか）、味（辛さ、スパイスなど）について話すのもいいでしょう。

✏️ 書きましょう1
- 見ておいしそうだと思ったか、食べてみてどうだったか、思い出して書きましょう。
- 「びっくりした食べ物（珍しいと思った食べ物）」は、見た目や材料が変わっている、

食べ方がわからない、変わった味がするなど、印象に残った料理です。
・説明が難しいときは、ボランティアが手伝いましょう。

📖 読みましょう2　おいしいもの、見つけた
読むまえに
・パクさんが日本各地で食べ歩きをした話であることを言っておくといいでしょう。
・料理や食べ物の名前がたくさん出てくるので、できれば写真や絵を準備しておいてください。

読むときのヒント
・[しつもん]④は本文を読みながら答えを書いてもらいます。
・出てくる食べ物の味やにおい、色を想像しながら読むように言ってください。
・この文章を読んで、学習者がいちばんおいしそうだと思ったものは何か、聞きましょう。

📖 読みましょう3　たこ焼きパーティー
読むまえに
・たこ焼きを食べたことがあるか、作っているのを見たことがあるか聞いてください。

読むときのヒント
・2段落目（❷）は、[しつもん]③の写真を見ながら読むと、わかりやすいでしょう。
・なぜ張さんのたこ焼きが「踏まれたピンポン玉」のようになったか聞きましょう。
・「味はどっちも同じだよ。」と言ったときの張さんの気持ちをいっしょに考えてみましょう。

✏️ 書きましょう2
・料理は学習者の国の料理でも、日本の料理でもかまいません。
・材料や作り方を書くのは難しいかもしれません。その場合は絵を描いたり、インターネット上の写真を利用したりするのもいいでしょう。また、『日本語　おしゃべりのたね』ユニット9には【料理で使うことば】が載せてあります。

ユニット10　日本の生活　高い？安い？

📖 読みましょう1　美人になりました
読むまえに
・「美人になりました」というタイトルから、李さんはどうして「美人になった」と思うか、いろいろ想像してもらいましょう。理由を知りたいという興味を喚起するための質問ですから、「ダイエットして美人になったと思う」など、内容と全然違う答えが出てきてもかまいません。

読むときのヒント
・李さんのお母さんは長い髪と短い髪とどちらが好きだと思うか、それは文章のどこからわかるか、聞いてください。

・李さんが髪を伸ばそうと思った理由を話し合ってみましょう。

書きましょう1

・学習者の中には日本の物価はあまり高くない、安いと思っている人もいるかもしれません。その場合は、安くてびっくりした経験を書いてもらいましょう。
・「どうしましたか、どう思いましたか」は買ったのか、買わなかったのかというようなことでもいいし、見たり聞いたりした高い（安い）ものについての感想でもかまいません。

読みましょう2　たまごとたばこ

読むまえに

・日本では新聞に折り込みチラシが入っていて、各家庭に配達されることを説明しておきます。
・スーパーの折り込みチラシを2種類用意しておきます。できれば同じ日のチラシで、同じ商品の値段が比較できるものがいいです。「お1人様1パック、〇〇パック限り」の文字があれば、なお好都合です。学習者とチラシを見ながら、どちらが安いか、何を買うかなど話して、本文の武田さんの「朝」を疑似体験しておくと、スムーズに読む活動に入っていけるでしょう。

読むときのヒント

・最初の2行を読んで、武田さんはいつどこで折り込みチラシを見ているのか、聞いてください。
・第2段落では、武田さん（日本の主婦）が、安いものを買うためにどんな努力をしているか（チラシを比較、安いものを求めて複数のスーパーへ行くなど）、聞きます。
・何が「ラッキー」なのか、聞いてください。
・「そのたばこ、1つ420円でしょ？　卵が2パック買えるわよ。」ということばから、武田さんはご主人に何が言いたかったと思うか、話し合いましょう。

読みましょう3　お金がなくても

読むまえに

・タイトルの「お金がなくても」のあとに続く文を自由に考えて、学習者に内容を予測させるといいでしょう。

読むときのヒント

・ホワンさんの日本の生活を楽しむ方法は何か、聞きます。書いてあることをそのまま全部言うのではなく、ここでは1文でまとめる練習をしましょう。
　　例）　季節の変化を楽しむこと
　　　　市民のためのイベントに参加すること
・読んだあとで、ホワンさんがどのようにして無料コンサートや茶道体験教室の情報を得たと思うか、聞いてみましょう。市などの広報誌が多言語、あるいは振り仮名付き

でホームページに掲載されていることを教えてあげると、学習者の役に立つでしょう。

📝 書きましょう2
- 「お金を使わないで楽しんでいること」は学習者が思いつかなければ、公共施設や図書館などの利用、イベントやサークル、日本語教室の行事などへの参加の経験がないか聞いて、ヒントを与えてください。

ユニット11　みんなのスポーツ

📖 読みましょう1　野球ファン
読むまえに
- 日本のプロ野球はセントラルリーグ（6球団）とパシフィックリーグ（6球団）の2リーグ12球団があることを説明してください。
- プロ野球を野球場で応援するときは、チームごとの応援グッズがあることを説明しておきましょう。

読むときのヒント
- なぜ北川さんはメガホンや赤い帽子などを用意するのか、聞きましょう。
- 「うまいっ！」ということばに、北川さんのどんな気持ちが表れているか聞きます。
- 北川さんの奥さんは野球ファンだと思うか聞いてください。どうしてそう思うか理由も話してもらいます。
- 北川さんの奥さんはテレビを買うことに賛成すると思うか聞きましょう。
- 自分が北川さんの奥さんだったらどうするか、学習者とボランティアで話してください。

📝 書きましょう1
- 応援するときはだれと応援するか、何か用意するものがあれば、書いてもらいます。
- 特に応援しているスポーツがない学習者には、オリンピックや世界陸上などを見たときのことを書いてもらいましょう。

📖 読みましょう2　週末サッカー
読むまえに
- サッカーは世界で人気があるスポーツですが、日本でも人気があって、プロだけでなく、アマチュアのサッカークラブやサークルがたくさんあることを説明しておきます。

読むときのヒント
- アントニオさんの気持ちの変化に気をつけて読んでもらいましょう。
  日本に来たばかりのころ、土手に座ってサッカーを見ていたとき、サッカーに誘われたとき、ゴールを決めたとき、今の気持ちについて聞きましょう。
- サッカーのよいところはどんなところだと思うか、話し合いましょう。

読みましょう3　サムライになりたい！

読むまえに
- 「ラストサムライ」という映画は、明治初期の日本を舞台にした映画です。外国人が日本に来て「サムライ」とともに戦う話だと説明しましょう。
- イラストを見て、どんな格好で剣道をするか、確認しましょう。
面がどれか、確認しましょう。
- 剣道は試合のとき、打つ場所の名前（この場合は面）を叫びながら打たなければならないことを説明します。（面を打つときは「めーん！」と叫びます。）

読む活動のヒント
- 剣道の練習のつらいところはどんなところか聞きましょう。
- 勝てると思ったのに負けてしまったグレッグさんはどんな気持ちだったか、考えてもらいましょう。
- 日本に来るまえ、剣道部に入った当初、そして今、それぞれのときのグレッグさんの気持ちを考えてみましょう。

書きましょう2
- 前にやったことのあるスポーツでもいいです。
- 体操や、ウォーキングなど、試合や練習のない運動でもかまいません。
- スポーツの経験がなければ、家族や友人の話でもかまいません。できればその人に簡単なインタビューをして、書くとよいでしょう。

ユニット12　仕事、がんばります

読みましょう1　子どものときの夢

読むまえに
特にありません。

読むときのヒント
- 「絵はうまいけど、話はいつも同じだ。」と言われたとき、いなかのうちでノートを見たときの三輪さんの気持ちを考えてもらいましょう。
- どうして三輪さんはマンガ家になれなかったと思うか聞いてみましょう。
- マンガ家になれなかったことを今も残念に思っていると思うか話し合ってください。

書きましょう1
- 子どもときの夢に限らず、高校生や大人になってからなりたかった職業でもかまいません。

読みましょう2　ピカピカ

読むまえに
- レストランの仕事にはどんなものがあるか聞いてみましょう。
- 「ピカピカ」の意味を説明しておいてください。

読むときのヒント
- タイトルの「ピカピカ」は何がきれいになった様子を表しているのか聞いてみてください。
- 初めての日、店長はどうして張さんにトイレ掃除をさせたと思うか、聞いてください。
- 掃除をした店長は張さんにどんなことを教えたかったか、考えてもらってください。
- この文の中で「見えないサービス」とは何のことか、聞いてください。レストランの「見えるサービス」と「見えないサービス」を話し合うのもいいでしょう。
- トイレ掃除の終了時にトイレットペーパーの端を三角折りにします。それは従業員間の清掃済みの合図として使われていることを簡単に説明してください。
- 第4段落に「きれいに使っていただいて、ありがとうございます」とありますが、公共トイレなどで似たような文言の張り紙を見たことがないか聞いてみてください。「汚さないでください」と書いてあるのとどう違うか考えてもらいましょう。

読みましょう3　新米日本語教師

読むまえに
- 「新米日本語教師」のタイトルからどんな話か想像してもらいましょう。この読解文と重複しない程度にボランティア自身の経験を話すのもいいでしょう。

読むときのヒント
- 外国人の友達に頼まれたとき、教えられると思ったかどうか、どうして教えられると思ったのか聞いてください。実際に教えてみてうまくいかなかったのはなぜか考えてもらいましょう。
- 自分の国のことばを教える楽しさはどんなところにあると思うか、話し合ってください。
- 「先生、『じゃ』は何ですか。」という質問はきょうの授業と関係がある質問だったか聞いてください。次の「うーん。」はどうして田中さんは何も言えなかったのか考えてもらいましょう。
- 田中さんはどんな先生だと思うかいっしょに考えましょう。

書きましょう2

- 日本で仕事をしていない場合は国での職業体験でもかまいません。学生や専業主婦などの場合はほかの人に聞いて書いてもらいましょう。
- 仕事の大変さや失敗した経験はボランティアが自分の経験を話してあげると、ヒントになるかもしれません。

ユニット13　わたしの町は日本一

📖 読みましょう1　広島の田舎

読むまえに
- 広島が日本のどこにあるか地図で確認しましょう。

読むときのヒント
- 日本では年配の女性を親族呼称を使って呼ぶことを、学習者に説明してください。
- 「おばあちゃん」という呼び方から、ナターシャさんはホームステイ先の女性に対してどんな気持ちを持っていると思うか聞いてください。
- ナターシャさんは田舎の生活でどんなことが不便だと思ったでしょうか。学習者と話しましょう。
- ナターシャさんはおばあちゃんに「行きます」ではなくて、「広島に帰るけぇ（帰りますので）」と言っています。ナターシャさんがどんな気持ちで言ったか考えてみましょう。

✏️ 書きましょう1

- 初めてその町に来たときの印象や、いいと思うこと、困ることなどを書きましょう。

📖 読みましょう2　雪国でがんばります！

読むまえに
- 新潟県が日本のどこにあるか地図で調べましょう。
- 語り手のデシーさんの背景について簡単に説明しておきます。デシーさんは看護師になることを目指しているインドネシア人であること、日本で看護師として働くためには看護師国家試験に合格しなければならず、それは大変難しいことなどを説明してください。
- 雪国の生活について知らない学習者には雪かき、雪下ろし、雪道を歩くことの大変さなどを説明してください。

読むときのヒント
- デシーさんは最初の冬、雪国の生活をどう思ったか、聞いてください。
- けがをして、仕事を休んで部屋にいたときのデシーさんの気持ちの変化を読み取ってもらいましょう。何がきっかけになって、デシーさんの気持ちが変化したか聞いてください。

📖 読みましょう3　高雄がいちばん

読むまえに
- 学習者といっしょに地図で台湾の高雄がどこにあるか調べましょう。
- 学習者に昼寝をするかどうか聞いてみましょう。
- 夜市の様子がわかる写真などを用意して、それを見ながら第2段落を読むと、より臨

場感があるでしょう。

読むときのヒント
・高雄の学校の生徒は昼寝をしないとしかられると書いてありますが、その理由を考えてみましょう。
・黄さんはどうして昼寝の習慣がいいと思っているか聞いてください。
・読んだあとで、学習者の国に昼寝の習慣があるかどうか、なければあったほうがいいと思うか聞いてみましょう。

書きましょう2
・故郷の有名な所やおいしい食べ物を紹介します。
住んでいる人の生活の様子や習慣を書くのもおもしろいでしょう。

ユニット14　ケータイ、持った？

読みましょう1　ツイッター
読むまえに
・ツイッターについて知っているかどうか、聞きましょう。
全く知らない学習者にはどういうものか、簡単に説明してください。

読むときのヒント
・ポールさんは傘が見つかると思っていたかどうか聞いてみましょう。
・どうして（笑）と返信されたと思うか、考えてもらいましょう。
・（笑）は私的なメール、つぶやきなどに使われることを説明します。
ほかに使われる文字（怒）（泣）（汗）などについても話してみましょう。

書きましょう1
・テキストの「書きましょう1」は普通体ですが、丁寧体で書いてもかまいません。
・「私は………を利用している。」の「………」には、ツイッター、フェイスブック、ライン、ミクシィなど、ソーシャルネットワーキングサービス（SNS）の名前を書くように言ってください。
・利用していない人には、その理由を書いてもらいましょう。

読みましょう2　スマホはどこ？
読むまえに
・ケータイやスマホをなくしたことがあるかどうか聞いてみましょう。
・スマホやケータイをなくしたとき、各携帯電話会社のサービスでケータイやスマホの位置を捜すことができることを言っておきます。

読むときのヒント
・中村さんはなぜ青くなりましたか。どんな心配をしたと思うか、聞いてみましょう。

- 中村さんの奥さんはなぜ「首からぶら下げておいたら？」と言ったと思うか、聞きましょう。
- 可能であれば、ボランティア、あるいは学習者のスマホで位置情報を見てみるといいでしょう。

読みましょう3　うれしいメール

読むまえに
- 特にありません。

読むときのヒント
- 森田さんが孫の成長を喜んでいる箇所はどこか聞いてください。
- 森田さんと息子のメールのやりとりのおもしろいところは何か、話しましょう。
- 娘からメールをもらって森田さんは何がうれしかったのか、話し合ってください。
- 森田さんはどんな人か想像してもらいましょう。

書きましょう2

- ❷は学習者とメールをくれた人のやりとりを具体的に書いてもらいます。メールを使わない場合は電話でもかまいません。

ユニット15　結婚いろいろ

読みましょう1　初恋

読むまえに
- 文中に「ドキドキ」「グーグー」「ゴロゴロ」など擬音語、擬態語が出てきます。擬音語、擬態語は学習者にとって難しいので、説明のための絵などを用意しておくといいでしょう。

読むときのヒント
- 「料理クラブ」は高校のクラブ活動のことです。学習者がわからなければ説明してください。
- 高校時代、5年後に会ったとき、そして今、それぞれのときの幸子さんの北川さんに対する思いはどうか、話し合いましょう。
- 「『すてきな北川さん』はどこかへ行ってしまいました。」はどういう意味か聞いてください。

書きましょう1

- 「初恋」はいわゆる恋愛でなくてもかまいません。「幼稚園のとき、○○ちゃんが好きだった」というような思い出でもいいです。

読みましょう2　遠距離恋愛

読むまえに
- 「遠距離恋愛」の意味を確認しておきます。

読むときのヒント
- 課長から本社で働いてみないかと言われたとき、佐々木さんはどんなことを考えたと思うか、聞いてみてください。
- 高校のときの彼との遠距離恋愛がうまくいかなかったのはどうしてだと思うか、話し合いましょう。
- 読んだあとで、もし自分が佐々木さんの立場だったらどうするか、学習者、ボランティアそれぞれ話してみましょう。もし彼（彼女）が転勤に反対したら、もし転勤先が遠い所（例えば外国）だったら、などいろいろなケースを想定して話してみてください。

読みましょう3　ご結婚、おめでとうございます

読むまえに
- 日本の結婚式を知らない学習者には、披露宴で上司や友人がお祝いのスピーチをすることを説明しておきます。

読むときのヒント
- 第2段落（❷）に書かれたタン君の人物像から、えりさんはタンさんのどんなところに惹かれたと思うか、自由に話しましょう。
- タン君がどうして日本語が上手になったと思うか、聞いてみてください。
- スピーチの原稿なので話しことば的な表現が使われています。読んで内容が理解できたら、スピーチをするつもりで音読してみるのもいいでしょう。

書きましょう2

- 学習者がよく知っている友人を想定して、書いてもらいます。結婚式のスピーチは2、3分なので、長さも考えて書くよう言いましょう。
- 「結婚する友達はどんな人ですか」は新郎、あるいは新婦の性格や人柄を表すエピソードを書きます。

ユニット16　大変だったね

読みましょう1　地震だ！

読むまえに
- 日本は地震がとても多い国だということ、このユニットで話しているのは、時々起こる小さい地震のことだと、説明してください。
- 地震が起きたらどう行動するべきか、学習者が知っていることを話してもらいましょう。

読むときのヒント
- 地震が起きるまえの教室の様子、起きたときの様子を思い浮かべながら読むように言いましょう。
- ポールさんが地震だとわかったのはなぜか、それが書かれている部分に線を引いてもらいましょう。
- 机の下に入ったとき、机の下からのぞいたとき、みんなに笑われたとき、ポールさんはどんな気持ちだったと思うか、聞いてください。
- なぜ、ポールさんは机の下に入ったと思うか、なぜほかの学生は机の下に入らなかったと思うか、聞いてみましょう。

書きましょう1
- 地震は国での経験でも、日本での経験でもかまいません。地震の経験のない人にはその他の自然災害、たとえば台風、竜巻、雪の被害等についても聞いてみてください。

読みましょう2　消えたテレビ
読むまえに
- 「消えたテレビ」というタイトルからどんな話だと思うか聞いてみましょう。

読むときのヒント
- どうして黄さんの引っ越しは大変だったのか、聞きましょう。
- テレビとこたつはどこへ行ったと思うか、話し合いましょう。

読みましょう3　買い物の帰りに
読むまえに
特にありません。

読むときのヒント
- 田中さんの気持ちがどう変化したか、想像しましょう。
  1) 自転車にぶつかられたとき。
  2) 相手の人が「病院へ行きましょうか」と言ったとき。
  3) 相手の人といっしょに病院と自転車屋に行ったとき。
  4) 今の気持ち
- 家に帰るころに田中さんが元気になっていたのはなぜか、聞きましょう。
- 男の人はどんな人だと思うか、話し合いましょう。

書きましょう2
- 「日本に来て大変だったこと」は、たとえば、次のようなことを示してヒントを与えるといいでしょう。例）電車の乗り間違い・道に迷った・ものの使い方がわからなかった・物をなくした・病気やけが。ボランティアが自分の海外での経験を話すのもいいヒントになるでしょう。

- 第3段落は後日談か、今そのときのことを振り返ってどう思うかを書いてもらいます。

ユニット17　祭りだ　わっしょい！

📖 読みましょう1　フローレス・デ・マヨ（5月の花祭り）
読むまえに
- フローレス・デ・マヨの写真（インターネットで検索できる）や観光ガイドブックなどがあれば用意して、より具体的なイメージを持ってもらいます。

読むときのヒント
- 「パロセボ」はどんなところがおもしろいと思うか話し合いましょう。
- ホワンさんはなぜ「パロセボ」で競争するより豚の丸焼きがいいのか、話し合ってみましょう。

✏️ 書きましょう1
- 学習者の国のお祭りで、いちばん印象に残っていることにスポットを当てて書いてもらいます。お正月やクリスマスなどでもいいでしょう。

📖 読みましょう2　さくらまつり
読むまえに
- 地域のお祭りに行ったことがあるか、参加したことがあるか、聞きましょう。「さくらまつり」は地域のお祭りであることを言っておきます。

読むときのヒント
- 「焼きそば220袋」は1袋に焼きそばの麺が1玉（1人分）入っていることを説明してください。
- キャベツを切るのにどのくらい時間がかかったと思うか聞いてみてください。
- お祭りの活気がよく伝わってくるのはどの部分か聞きます。においや音、音楽などに注目してもらいましょう。
- アントニオさんが「きょうのビールは特別おいしい」と思ったのはどうしてだと思うか聞きましょう。
- 臨場感を伝えるために、過去の出来事を「こしょうをふる。お客さんを呼ぶ。」などのように現在形で表現しています。学習者に聞かれたら説明しましょう。

📖 読みましょう3　天神祭の思い出
読むまえに
- 天神祭の写真が用意できれば、見せてください。

読むときのヒント
- 田中さんは、同級生と会ってどんな気持ちがしたか、想像してもらいましょう。
- 花火の音で聞こえなかったのは、どんなことばだったと思うか、聞いてみましょう。

書きましょう2

- ❶はお祭りの名前とどんなお祭りかを1、2行で簡単に書きます。
- ❷の「お祭りで何をしますか」は学習者が何をするか、何が好きか、具体的に書きます。
- 「思い出」は、楽しかった思い出や、うれしかった思い出だけではなく、悲しかった思い出でもかまいません。

ユニット18　楽しく　日本語

読みましょう1　　カラオケで日本語
読むまえに
- 日本でカラオケに行ったことがあるかどうか、行ったことがある人には、いつもどんな歌を歌うか、日本語で歌うかどうか、聞いてみてください。

読むときのヒント
- 張さんが、テキストのことばはなかなか覚えられないのに、歌詞はすぐ覚えられるのはどうしてだと思うか、聞いてみましょう。
- 読んだあとで、「なだそうそう」の歌詞をいっしょに読んだり、歌ったりするのもいいでしょう。

書きましょう1
- 好きなことが日本語の学習につながった体験を書いてもらいましょう。
- （日本語が上手になったら、何がしたいですか）には、自分の好きなことと関連のあることを書いてもらいましょう。

読みましょう2　　マンガで日本語
読むまえに
- 日本のマンガを読んだことがあるか聞いてみます。「NARUTO」は外国人に大変人気のある忍者が主人公のマンガであることを言っておきます。

読むときのヒント
- ポールさんがすぐに辞書で調べないのはなぜだと思うか、聞いてみましょう。
- ポールさんと友達がマンガのことばでしゃべっているのを聞いたとき、周りの人たちがどう思ったか、想像してもらいましょう。
- ポールさんは、「～でござる」ということばが今は使われていないのを知っていて使ったと思うか、知らないで使ったと思うか、学習者に考えてもらいましょう。

読みましょう3　　おしゃべりで日本語
読むまえに
- おしゃべりが日本語の勉強に役に立つと思うか、学習者に聞いてみましょう。

読むときのヒント
- 「おおきに、ありがとう」は、昔どんな意味だったか、学習者に確認してください。
- 王さんはおしゃべりのどんな点がいいと思っているか、聞いてみましょう。

書きましょう2
- ❷は具体的なやりとりでなくてもいいです。

ユニット19　女と男－仕事と役割
読みましょう1　掃除は夫
読むまえに
- 学習者に掃除が好きかどうか、聞きましょう。
- 「掃除は夫」という題からどんなことを想像するか、聞いてみてください。

読むときのヒント
- マリアさんが夫のためにがんばって料理を作っていることが文の中のどこから読み取れるか、聞きましょう。
- マリアさんは、おいしいとも何とも言わずに食べる夫のことをどう思っているか聞いてください。
- マリアさんの家事分担に対する思いが読み取れるところを文の中から探してもらいましょう。
- 夫はマリアさんにダイエットをしてほしいと思っているかどうか、聞いてください。

書きましょう1
- （妻／夫は何をしますか）と書いてありますが、ほかの家族について書いてもいいです。
- 一人暮らしの人には、自分の家族のことを書いてもらってください。
- 子どもがいる家族の場合は、育児や教育の役割分担について書いてもらってもいいです。

読みましょう2　彼女の引っ越し
読むまえに
- 学習者に日本で引っ越しをしたことがあるかどうか、聞いてください。
- 引っ越しをしたことがない場合は、日本の一般的な引っ越しについて簡単に説明してください。（日本では、引っ越し業者に頼むと、スタッフがトラックで来て、荷物の搬出・搬入・据え付けもしてくれる。）

読むときのヒント
- 一人暮らしのグレッグさんの彼女が女性スタッフのサービスを頼んだ理由を話し合ってみましょう。学習者が思いつかないようであれば、次のような説明を補ってください。
  防犯上の問題があるので、一人暮らしの女性は、

- ・知らない男性に家に入ってもらいたくない。
- ・引っ越し先を知られたくない。
- ・荷物を見られたくない。　　など

読みましょう3　おさむ先生

読むまえに

- ・タイトルの「おさむ先生」の「おさむ」は男性の名前か女性の名前か聞いてみてください。
- ・学習者が保育園のことを知らない場合は簡単に説明してください。（保護者が働いているなどの理由で保育ができない場合、小学校入学前の子どもを預かってくれる所。）

読むときのヒント

- ・次の①～③のときの中島さんの気持ちを聞きましょう。
  - ①　保育園に子どもを預けるまえ
  - ②　最初の日に男性の保育士が迎えてくれたとき
  - ③　1か月後の今、息子からおさむ先生の話を聞くとき
- ・息子の話から、おさむ先生はどんな先生だと思うか、話し合いましょう。
- ・「忍者ごっこ」について簡単に説明しておきましょう。
  「～ごっこ」は何かになったつもりでする遊びです。「忍者ごっこ」は忍者になったつもりでする幼児の遊びです。
- ・中島さんが保育士は女性のほうがいいと思っていた理由を考えてもらってください。
- ・おさむ先生に会ってから、中島さんはどうして男性の保育士もいいと思うようになったか話し合いましょう。

書きましょう2

- ・警官や引っ越し業など男性が多い職種で働いている女性や、保育士や看護師など女性が多い職種で働いている男性に会ったことがあれば、その人の仕事ぶりについて書いてもらってください。なければ、テレビや本で知った話や、人から聞いた話でもいいです。

ユニット20　ごみを減らそう

読みましょう1　もったいない

読むまえに

- ・「もったいない」ということばを聞いたことがあるか、意味を知っているか、聞いてください。わからなければ、別冊語彙訳で確認しておきます。本文を読めばわかるので、ここで詳しく説明する必要はありません。
- ・「MOTTAINAI」は「KARAOKE」と同じように世界共通語になっており、環境問題を考える重要な概念になっています。

読むときのヒント
・日本ではデパートの地下に食料品売り場があることを説明してください。
・肉を包むシート、ビニール袋、包装紙、レジ袋を用意し、学習者に、読みながら店員の動作を実演してもらうと、わかりやすいでしょう。

書きましょう1
・「もったいないと思うもの」は「もの」だけではなく、「電車の寒すぎる冷房」とか、「長い会議時間」といったことでもかまいません。

読みましょう2　530運動
読むまえに
・タイトルの読み方は、言わないでください。
読むときのヒント
・5歳の女の子はどうして張さんに空き缶をあげたと思うか、聞いてみましょう。
・「あっ、いえ、はい……。」と答えたとき、張さんはどんな気持ちだったと思うか、話し合いましょう。
・「ごみゼロ運動」の目的は何だと思うか、聞いてみてください。

読みましょう3　赤いチューリップのお弁当箱
読むまえに
・日本では幼稚園にお弁当を持って行くことがあることを説明しておきます。また学習者に幼稚園や学校にお弁当を持って行ったかどうか、お弁当にどんな思い出があるか、聞いてみるのもいいでしょう。
読むときのヒント
・北川さんが45年前の古いお弁当箱を捨てなかったのはどうしてだと思うか、話し合いましょう。
・お弁当を介した親子の愛情を読み取ってもらいましょう。北川さんのお母さんがお弁当を作っていたときの気持ち、お弁当箱を開けたときの北川さんの気持ち、新しいお弁当箱を買わずに、娘にチューリップのお弁当箱を持たせた北川さんの思い、「全部食べたよ」と言ったときの娘さんの気持ちを想像してもらってください。

書きましょう2
・この「書きましょう」のテーマは「ものを大切にする」ということなので、「古いもの」は古い写真とか手紙などではなく、使っていた、あるいは今も使っているものについて書きます。